WILL GALLOWS
& O TROLL BARRIGA DE SERPENTE

WILL GALLOWS

& O TROLL BARRIGA DE SERPENTE

DEREK KEILTY

ILUSTRADO POR JONNY DUDDLE

Tradução
Natalie Gerhardt

BERTRAND BRASIL

Rio de Janeiro | 2014

Copyright © Derek Keilty, 2011
Copyright das ilustrações © Jonny Duddle, 2011
Copyright de ilustrações adicionais © Derek Keilty, 2011
Publicado mediante contrato com a Andersen Press Limited.

Título original: *Will Gallows & the snake-bellied troll*

Editoração: FA Studio

Texto revisado segundo o novo
Acordo Ortográfico da Língua Portuguesa

2014
Impresso no Brasil
Printed in Brazil

CIP-Brasil. Catalogação na publicação
Sindicato Nacional dos Editores de Livros – RJ

K36w	Keilty, Derek
	Will Gallows & o troll barriga de serpente / Derek Keilty; tradução Natalie Gerhardt; [ilustração Jonny Duddle]. — 1. ed. — Rio de Janeiro: Bertrand Brasil, 2014.
	224 p.: il.; 21 cm.
	Tradução de: Will Gallows & the snake-bellied troll
	ISBN 978-85-286-1903-4
	1. Ficção irlandesa. I. Gerhardt, Natalie. II. Título.
	CDD: 828.99153
13-06304	CDU: 821.111(41)-3

Todos os direitos reservados pela:
EDITORA BERTRAND BRASIL LTDA.
Rua Argentina, 171 – 2º andar – São Cristóvão
20921-380 – Rio de Janeiro – RJ
Tel.: (0xx21) 2585-2070 – Fax: (0xx21) 2585-2087

Atendimento e venda direta ao leitor:
mdireto@record.com.br ou (0xx21) 2585-2002

Para minha esposa, Elaine,

com amor

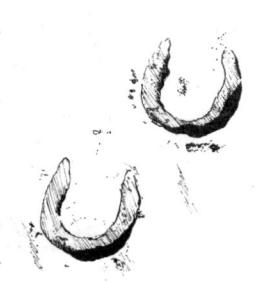

★ GRANDE ROCHOESTE ★

Rocha Central

Vila Repolho Alegre

Minerópolis

Para Fenda Mortal

Desolação

Bosque do Oeste

CAPÍTULO UM

★

Formando a tempestade

A marrei a minha égua, Raio Lunar, e caminhei lentamente em direção ao posto do xerife de Minerópolis. Cartazes de *Procura-se* — uma galeria de trolls medonhos cobertos de verrugas e goblins de olhos esbugalhados — estavam pendurados em um quadro de avisos ao lado da porta. Arranquei o cartaz com a imagem do troll mais horrendo e o enrolei. Então, respirando fundo, abri a porta.

Lá dentro, o xerife gordo, com sua estrela presa ao peito, dormia com os pés sobre a mesa, e tanto ele quanto o goblin rabo de chicote, que ocupava a cela do canto, pareciam travar uma competição de quem roncava mais alto. Com os nervos à flor da pele, hesitei, sentindo o coração disparado no peito. Estava prestes a desistir, mas percebi que isso não me traria respostas e, naquele momento, o que eu mais queria no mundo eram respostas. Sentei-me, encarando a sola das botas do xerife, e aguardei.

Quando o xerife finalmente acordou, puxou a aba do chapéu e lançou-me um olhar fulminante. Desenrolei o pôster do horrendo troll barriga de serpente sobre a mesa, no qual lia-se:

O xerife olhou de relance.

— Pode ficar, garoto. A maioria nem pede — rosnou ele. — Agora dê o fora daqui.

— Não é o pôster que eu quero, xerife Slugmarsh — respondi. — Eu... preciso de algumas informações.

— Informações. Que tipos de informações?

— Tudo que o senhor puder me dizer sobre este assassino barriga de serpente.

Slugmarsh soltou um arroto alto e inclinou o chapéu para cobrir os olhos. Um sorriso se abria em seu rosto.

— Por quê? Você pretende trazê-lo para mim?

O sorriso desapareceu de seu rosto tão rápido quanto um morcego saindo do teto rochoso de uma mina.

— Estou à procura dele — respondi. — Mas não sou assassino. Pretendo trazê-lo vivo.

Slugmarsh tirou os pés de cima da mesa, inclinou-se na cadeira e me analisou. Então, caiu na gargalhada, engasgando com a própria diversão, tossiu e cuspiu, tentando recuperar o fôlego.

Eu já tinha previsto tal reação. Fiquei em silêncio aguardando ele terminar.

— Você é doido, garoto. Volte para a escola, antes que eu chame o goblin gazeteiro!

— Tenho quase catorze anos — respondi, engrossando a voz. — Não vou mais à escola.

— Desistiu de estudar para ser um matador de aluguel.

— Tipo isso, mas prefiro ser chamado de caçador de recompensas. Como eu disse, não sou assassino.

Slugmarsh se inclinou para a frente, abriu uma gaveta e tirou uma garrafa de uísque Bafo Bafudo.

Tomou um grande gole antes de bater a garrafa na mesa, esmagando um inseto. Para meu espanto, o xerife pegou sua pistola blaster de seis rotações e a apontou para a minha cara.

— Se eu achar, por um minuto, que você está tirando onda com a minha cara, garoto...

Senti o coração disparar ainda mais no peito e ergui a mão assumindo uma postura defensiva.

— Tudo que quero são algumas informações.

Slugmarsh guardou a pistola no coldre e tomou outro gole de uísque. Levantou-se e foi até a cela do canto. O goblin ainda dormia profundamente na cama de baixo. Tenho certeza de que detectei um olhar de inveja no rosto do xerife. Ao sentar novamente, perguntou:

— Você tem nome?

— Gallows, Will Gallows.

— Gallows. Tive um xerife suplente com esse nome.

— Meu pai.

Empertiguei-me enquanto Slugmarsh se inclinava para a frente como se estivesse me avaliando. Estava boquiaberto, e vi um dente de ouro brilhando em uma boca cheia de dentes quebrados e faltantes. Ele tinha bafo de meia velha.

— Você é o filho de Gallows?

— Sim, senhor.

— Pois bem. — Slugmarsh tirou o chapéu e passou a mão por algumas mechas esparsas de cabelo branco que cobriam a careca até que parecessem um bando de ervas daninhas enroladas em uma rocha. — Da última vez que seu pai o trouxe aqui, você tinha metade do tamanho que tem agora. — Fez uma pausa, baixando o olhar. — Pelos meus cálculos, foi mais ou menos nessa época do ano passado que ele morreu em um tiroteio com trolls nos Picos Rochosos.

— Ele foi assassinado — corrigi.

Slugmarsh concordou devagar com a cabeça.

— Ele era um bom xerife suplente, o melhor que já...

— Eu sei — interrompi. Preferia não falar sobre aquilo. Era doloroso demais.

Slugmarsh respirou fundo.

— Noose e seu bando saíram do nada naquela manhã.

— Ouvi dizer que papai gritou pedindo cobertura. Mas que ninguém deu. Deixaram ele na mão.

O xerife pegou a garrafa e me ofereceu um gole. Eu meneei a cabeça, impaciente, aguardando sua resposta.

— Garoto, você não faz ideia de como foi. Fomos pegos no meio de uma saraivada de balas. Noose parecia um demônio gatilho-armado. A situação era caótica. Não dava para ouvir nem nossos próprios pensamentos sob a chuva de tiros!

Baixei a cabeça. De repente, ouvi o som de areia batendo no vidro da janela quando uma lufada de vento levantou a poeira da rua.

Slugmarsh passou a mão na barba.

— Estou começando a temer por você, garoto.

—Temer? Por quê?

— Porque acho que está falando sério. E porque desconfio que esteja atrás de mais do que a recompensa.

— Noose Wormworx matou o meu pai — disse eu com voz engasgada e piscando para afastar as lágrimas. — Ele tem de pagar por isso.

Slugmarsh deu uns tapinhas no meu ombro com a mão enorme e estranha em uma tentativa de me consolar.

— É claro que sim, garoto. Mas você realmente acredita que seu pai gostaria que você morresse? Mas que inferno! Você ainda é uma criança!

Senti o rosto corar.

— Não sou mais criança! Além disso, já tomei minha decisão.

— Então, você é doido de pedra! — explodiu o xerife, arfando e tossindo de nervoso. — Não existem cidadãos tolos o bastante para caçarem esse assassino em particular!

Cerrando os dentes, enrolei o cartaz.

— Eu preferiria não ter de pedir ajuda, mas achei que, como xerife, o senhor poderia, pelo menos, fingir interesse. — Encaminhei-me para a porta. — Pode deixar que eu conheço a saída.

Slugmarsh afundou a cabeça nas mãos e suspirou.

— Que inferno, garoto. O que quer saber?

Parei.

— Onde ele está? — perguntei.

— Seu chute é tão bom quanto o meu.

O xerife abriu a gaveta e pegou um mapa da Grande Rochoeste. Passou o dedo sujo sobre o mundo em forma de cacto com um tronco grosso e braços erguidos, no topo dos quais se liam os nomes:

Minerópolis, Rocha Central, Vila Repolho Alegre e outros lugares, todos interligados pela linha ferroviária que serpenteava ao redor de toda Grande Rochoeste. Mas foi sobre a imagem de uma caverna escura, no meio do tronco, que o indicador dele pousou.

— É mais provável que ele esteja entocado na cidade subterrânea Fenda Mortal. Essa região está repleta de foras da lei. Não é um lugar para um elfo adolescente como você. Se aqueles trolls barriga de serpente colocarem as mãos em você, vão triturá-lo como uma semente de bago e deixá-lo sangrando até a morte. Você já viu um troll barriga de serpente?

— Ainda não.

— São o pior tipo de troll que você poderia encontrar. Não é à toa que são chamados de barriga de serpente. Eles costumam ter três, quatro e, às vezes, mais serpentes com línguas sibilantes saindo das entranhas. Dizem por aí que as serpentes os ajudam a sentir o ambiente. É por isso que conseguem viver em cidades subterrâneas escuras como a Fenda Mortal.

Estremeci. Não precisava que me lembrasse como os barriga de serpente eram ameaçadores. Papai costumava me contar histórias sobre eles quando eu era criança, e eu tinha pesadelos horríveis. Contudo, eu estava determinado a não permitir que o meu medo me fizesse desistir de caçar um deles.

— Meu pai me disse que o xerife tem arquivos sobre todos os foras da lei da Grande Rochoeste. Gostaria que o senhor me emprestasse tudo que tem sobre Noose.

— Eu tenho cara de bibliotecário em uma biblioteca pública, garoto? Não posso permitir que arquivos confidenciais saiam do posto.

De repente, sentimos um ligeiro tremor. Notei o uísque balançar dentro da garrafa. O segundo tremor fez o chão saltar um pouco. Nós nos olhamos.

— Pedremoto — disse eu.

Os pedremotos que costumavam sacudir a cidade eram cada vez mais frequentes. Em geral, eram fracos demais para causar qualquer dano estrutural, mas existia o temor de que um forte terremoto estivesse prestes a acontecer. Minha avó, Yenene, sempre fala que os tremores são sinais de que os espíritos da rocha estão zangados com o modo como os cidadãos estão vivendo. Procuro sempre mudar o rumo da conversa antes que ela comece a falar sobre os velhos tempos quando ainda era criança na Vila Repolho Alegre. Ouvi dois alquimistas da Rocha Central conversando e eles disseram que não se tratava de tremores. Na verdade, o terreno estava afundando por causa das minas no interior da Grande Rochoeste.

— Veja bem, garoto, eu desejo boa sorte para você, mas não posso permitir que leve esses docum....

Outro grande tremor nos fez perder o equilíbrio. Slugmarsh gritou quando se estatelou no chão, batendo nas barras de ferro da cela do canto.

O goblin foi lançado para fora da cama e caiu a alguns centímetros do xerife. Cadeiras caíram, garrafas se quebraram, o arquivo com as pastas sobre criminosos foi lançado contra a parede oposta e as gavetas se abriram espalhando documentos para todos os lados. Levei os braços à cabeça para evitar ferimentos.

— Raio Lunar — suspirei. Minha égua estava presa do lado de fora. Tempestades e terremotos não costumavam assustá-la, embora um pedaço de um telhado talvez tivesse caído em cima dela.

Então, tão de repente quanto começaram, os tremores cessaram.

Olhei para a cela e arfei, chocado. O goblin estava acordado e, em um movimento calculado, lançou a cauda forte e longa em direção ao coldre do xerife, que ainda estava estatelado no chão, pegando a pistola.

— Atrás de você! — gritei, mas o aviso chegou tarde demais. Em um segundo, o goblin estava armado e sorrindo.

Slugmarsh lutou para ficar de joelhos, mas a pistola já estava apontada para sua cabeça.

— Mãos para o alto, xerife! — berrou o goblin com voz nervosa e animada. Slugmarsh rangeu os dentes, mas ergueu as mãos.

Em seguida, o goblin apontou a arma para mim e, pela segunda vez naquela manhã, eu encarava o cano de uma pistola blaster de seis rotações. Os olhos do goblin estavam arregalados sob as orelhas pequenas e pontudas.

— Você, garoto, pegue as chaves ali no cinto do gordão e destranque a porta bem devagar. Nada de gracinhas, entendeu?

Os goblins são sempre rápidos no gatilho, então virei a chave na fechadura bem devagar.

— Agora, afaste-se. — O goblin abriu a porta da cela. — Minha estadia foi excelente, xerife — provocou ele. — Mas estou de saída. O senhor não vai ficar chateado por eu não deixar uma gorjeta, não é?

— O seu julgamento será amanhã de manhã. Talvez você seja inocentado e saia uma criatura livre. Se fizer alguma burrice acabará sendo enforcado.

O goblin riu como uma hiena de Desolação.

— Desde quando um goblin tem um julgamento justo? Você sabe tão bem quanto eu que eles vão me enforcar de qualquer jeito. Não, eu prefiro correr o risco. Agora, vocês dois, para a cela. Rápido!

Foi então que notei que a cauda do goblin estava entre a porta semiaberta da cela e as barras da frente. Estiquei o pé e chutei a porta com força, fechando-a bem na cauda do criminoso.

A dor deve ter sido excruciante, considerando o berro que ele deu. Ao esticar os braços para abrir a porta e soltar o rabo preso, ele deixou a pistola cair, então, saltei sobre ela como uma pantera selvagem. Agora era a minha vez. Em questão de segundos, eu estava de pé e, trêmulo, apontei a arma para o goblin.

Slugmarsh bateu com as mãos nas coxas.

— Bem pensado, garoto! — Ele esticou a mão. — Agora, me dê a arma.

Mas eu congelei, enquanto meus olhos passavam de um para o outro.

O goblin revirou os olhos.

— Argh! Garoto idiota! — reclamou ele, abraçando a cauda inchada. — Passe a arma para mim.

Dei um passo para trás.

— Se chegarem mais perto, eu atiro!

Com o rosto retorcido, o goblin se aproximou lentamente de mim.

—Você está blefando, garoto. Não teria coragem.

Mirei no pé do goblin e apertei o gatilho.

—Afaste-se!

O goblin gritou, cambaleando para trás:

—Você está louco, garoto? Poderia ter arrancado o meu pé.

18

Slugmarsh limpou a garganta.

— Assumo daqui, garoto. Antes que alguém acabe se machucando. — Neguei com a cabeça. — Isso não é um pedido, garoto. É uma ordem.

O goblin sibilou para mim:

— Ei, garoto, não pude deixar de ouvir a sua conversa sobre Noose Wormworx. Que tal se eu levasse você até a Fenda Mortal e talvez até o ajudasse a encontrar esse troll? Você deve saber que goblins não são muito fãs dos barriga de serpente.

— Não, obrigado. Trabalho sozinho.

Eu o tranquei de novo na cela; então, apontei a arma para o xerife.

— O qu... Você ficou louco?

O pôster de Noose tinha caído da mesa durante o tremor e agora ele olhava para mim. Tirei a franja do rosto e a coloquei sob o meu chapéu.

— Não. Mas, como eu disse, eu realmente agradeceria muito se você pudesse me emprestar aqueles arquivos.

As veias da testa e do pescoço do xerife incharam e pareciam prestes a estourar. Ele arfou e ofegou como uma velha máquina a vapor e, então, ainda ofegante, começou a procurar com o pé entre as pastas de couro espalhadas pelo chão. Rosnando, chutou uma delas na minha direção.

— Agora, devolva a pistola.

Peguei o arquivo e soprei a poeira. Então, sorrindo, caminhei de costas, devagar, em direção à porta, pisando com cuidado sobre cadeiras caídas e cacos de vidro. No último momento, joguei a arma em direção a Slugmarsh.

— Obrigado.

Saí e me deparei com o início de uma tempestade de areia. Desamarrei Raio Lunar.

— O que está acontecendo? Ouvi tiros e gritos! — exclamou ela com as narinas dilatadas. — Pensei que tivesse sido atingido!

— Shhhh! Calma, Luna, o xerife só não gostou muito de eu ter perturbado a soneca dele. — Percebi que ela estava de olhos arregalados e acariciei o seu pescoço. — Você está bem? Foi um tremor bem forte dessa vez, não?

— Estou bem.

Olhei para o céu e franzi a sobrancelha.

— Parece que está se formando uma tempestade. Não podemos nos arriscar a voar. Tudo bem se galoparmos até o rancho?

— Desde que você me diga o que está acontecendo... — Sua voz sumiu quando viu dois homens saindo de um bar próximo e caminhando na nossa direção. Os humanos não conversavam com os animais, diziam que o Grande Espírito criara os bichos para serem submissos aos homens e que eles deveriam se manter em silêncio. Mas eu sou metade elfo, e os elfos têm grande ligação com os animais. Papo entre criaturas, como se falava em Rochoeste, era algo tão natural para mim quanto comer ou respirar.

Meu pai era humano e minha mãe, que morreu quando eu ainda era bebê, era uma elfa pele verde. Desde a morte do papai, minha avó, Yenene passou a tomar conta de mim. Ela é uma elfa de pele verde amarelada e ressecada, mais áspera do que a de um ogro. Ela costuma dizer que papai conhecia bem os perigos de ser o xerife suplente, mas que defender a lei sempre fora sua paixão e que não havia motivos para eu me enfurecer com a morte dele. Meus cabelos castanhos são como os de papai, embora não sejam suficientes para ocultar as minhas orelhas pontudas. Certa vez, papai socou um homem por ter me chamado de mestiço.

— Que tipo de negócios você pode ter com o xerife? Você está com problemas? — perguntou Raio Lunar quando os homens do bar se afastaram.

Coloquei o arquivo sobre Noose na bolsa da sela.

— Contarei tudo no caminho de volta para o rancho — sussurrei. — Mas só porque um cowboy nunca deve ter segredos para seu cavalo e porque eu confio que você não deixará escapar nada disso para ninguém.

Raio Lunar dobrou as patas dianteiras e eu montei na sela. Então, partimos a galope pelas ruas vazias de Minerópolis em direção à beira da rocha.

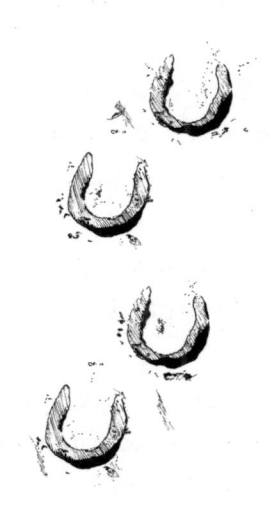

CAPÍTULO DOIS

★

Pescando trolls

Você vai o quê?

— Você ouviu.

Raio Lunar balançou as orelhas.

— Ouvi, mas achei que a areia dessa tempestade estivesse me fazendo ouvir coisas. Você vai atrás do assassino de seu pai? Sério?

Galopávamos pela estrada que saía de Minerópolis e nos levava para o campo aberto. Uma forte tempestade de areia soprava poeira na nossa cara.

— Luna, você é a minha melhor amiga há anos e sabe que eu nunca brinco com nada sobre papai — respondi, puxando a bandana sobre o meu nariz.

— Eu sei. É que nunca ouvi você falar assim antes. Parece o tipo de trabalho para o xerife e não para você.

— As pernas gordas de Slugmarsh estão coladas à mesa do escritório. É como se ele se borrasse de medo de Noose para fazer algo.

Um tornado dançava a distância próximo à beira da rocha. As tempestades eram sempre piores ali, e vovó sempre dizia que, quando uma tempestade estivesse se formando, eu nunca deveria voar para fora da beira ou próximo dela.

— Talvez ele tenha bons motivos para ter medo.

— Acho que logo vou descobrir. De qualquer forma, papai costumava dizer que, se você quer que um trabalho seja feito direito, deve fazer você mesmo!

— Para onde você irá?

— Ainda estou planejando essa parte. — Levei a mão até a bolsa da sela para verificar se estava bem fechada. — Foi por isso que tive de fazer uma visitinha ao xerife.

A tempestade de areia passou tão rápido quanto começara e, uma vez mais, o sol inclemente brilhou sobre a Grande Rochoeste.

Esporeei Raio Lunar para galoparmos a toda velocidade e, depois, puxei as rédeas de leve. Mesmo através da sela, consegui sentir os músculos do flanco e do ombro dela se contraírem para que abrisse as asas poderosas, como os pistões de uma engrenagem a vapor nos erguendo do chão para planarmos sobre a paisagem. Raio Lunar é um cavalo alado silencioso, criado para ter força e agilidade. Vovó diz que um cavalo alado pode se virar no ar mais rápido do que qualquer cavalo no chão.

— Você já contou para a vovó? — perguntou Raio Lunar.

— Ainda não.

Esse era o ponto fraco do plano. Yenene tinha 72 anos de idade. As rugas na testa eram prova de que ela já tivera preocupações o suficiente na vida. Havia ainda o coração fraco. Os médicos da Rocha Central disseram que era um milagre ela ainda não ter morrido. Yenene me disse que não iria a lugar nenhum até que eu tivesse crescido e pudesse cuidar do rancho. E, mesmo assim, ela ainda ficaria comigo por mais um tempo.

— Estou planejando essa parte também. Acho que contar para a vovó vai ser a parte mais difícil.

— Kweek-kik-ik-ik-ik!

De repente, dois jovens dragões-trovão mergulharam bem próximos a nós, caçando uma revoada de passarinhos. Observei enquanto se aproximavam das presas antes de soltarem jatos de fogo, assando os pássaros no ar.

— Kweeeeeeeeek!

Assoviei.

— Se ao menos eu conseguisse capturar Noose de um jeito tão fácil quanto esse.

Lá embaixo, vi a casa do rancho e as construções de Riacho da Fênix em uma pequena elevação. Atrás delas, um rio de mesmo nome serpenteava como uma cobra estendendo-se até o horizonte. Ao pousar, saí da sela e levei Raio Lunar para o curral onde retirei a pasta da bolsa da sela.

— Encontrarei você depois do almoço. E lembre-se: nenhuma palavra, ouviu?

Enfiando a pasta embaixo da camisa, entrei pela porta dos fundos e segui direto para o quarto; queria evitar encontrar vovó. Eu tinha um tempinho precioso entre as tarefas que precisava fazer e ficaria livre até a hora do almoço que, a julgar pelo cheiro de torta de cereja que impregnava o ar, logo estaria pronto.

Ansioso, passei os olhos pelas páginas amareladas do arquivo em busca de pistas, de algo, de qualquer coisa, que pudesse me ajudar a encontrar Noose. Slugmarsh estava certo. A Fenda Mortal era mencionada constantemente e creio que aquele seria o tipo de lugar que Noose escolheria para se esconder. À medida que eu lia, fui tomando a decisão de que seria por ali que eu começaria minha busca. Virando uma página próxima ao meio do arquivo, uma folha solta de um artigo de jornal do *Diário de Minerópolis* escorregou e pousou na cama. Ergui o papel esperando que fosse como os outros documentos e artigos arquivados na pasta — outra história sobre roubo ou assassinato cometido por Noose. Curiosamente, porém, o artigo não mencionava Noose. Em vez disso, vi-me olhando uma antiga foto de papai. Senti uma onda de tristeza misturada a um sentimento estranho que fez os cabelos na minha nuca se arrepiarem. Na foto, papai estava ao lado de um elfo grisalho e de aparência bastante convencida, segurando um objeto prateado semicircular. O artigo dizia:

NOVA INVENÇÃO PARA MEDIR TREMORES DE TERRA

Artigo de Escarafunchador Scoops

O inventor Eldon Overland exibe, orgulhoso, sua mais nova invenção para medir pedremotos que abalam a rocha. Overland dedicou anos ao estudo de terremotos e espera que sua investigação um dia torne as coisas menos trêmulas para os cidadãos de Minerópolis. Retratado ao lado do seu grande amigo, o xerife suplente Dan Gallows, que prometeu a Eldon total apoio do departamento do xerife durante sua pesquisa.

Gallows e Overland

O que aquele artigo estava fazendo no arquivo de Noose? Será que alguém o arquivara no lugar errado? Algo me dizia que aquele recorte de jornal estava ali por um motivo. Eldon desaparecera na mesma época da morte de papai. Dizem que estivera fazendo experiências na beira da rocha quando foi levado de um cume estreito por um tornado. Sem pensar duas vezes, dobrei com cuidado o artigo recortado e o coloquei no bolso. Seria bom levar uma fotografia de papai comigo e eu poderia tentar descobrir por que tal reportagem estava no arquivo de Noose mais tarde, quando já estivesse a caminho da Fenda Mortal.

Ao ouvir vovó gritar que o almoço estava quase pronto, fechei o arquivo e o escondi embaixo da cômoda. Ao fazer isso, vislumbrei meu reflexo no espelho e forcei um sorriso.

— *Vovó, eu tenho de ir até a Fenda Mortal por alguns dias para caçar o maior bandido de toda a Grande Rochoeste, o troll Noose.*

Meu sorriso forçado se apagou e suspirei. É claro que não havia jeito de eu dizer isso para ela, mas eu tinha uma ideia. Ficando na ponta dos pés, estiquei os braços e peguei uma sacola de lona que estava em cima do armário e a abri. A vara de pescar pertencera a papai, era feita de bambu e tinha um carretel de prata.

— Pescaria de trolls — suspirei. Achei que essa não seria a pior das ideias e talvez fosse a minha melhor chance de sair de Minerópolis, embora eu odiasse ter de mentir para vovó.

Subi em uma cadeira e encontrei o restante do equipamento, outra sacola de lona cheia de carretéis e linhas sobressalentes e uma lata quadrada que escapuliu da minha mão, caindo no chão. Balas de chumbinho e iscas se espalharam por todo o quarto.

Eu ainda as estava catando quando ouvi vovó chamar.

— Will, foi você que fez esse barulho?

— Foi.

Ela abriu um pouco a porta.

— Santos Espíritos! Achei que um ladrão tivesse entrado aqui, um cauda de chicote traiçoeiro ou um troll do bosque. — Ela baixou a espingarda. — O que você está fazendo? Seu almoço vai ficar horrível. — Com os cabelos presos para cozinhar, o rabo de cavalo sedoso e grisalho descia até o nó do avental.

— Estava procurando uma coisa.

— O quê?

— Minha... vara de pescar.

Yenene colocou as mãos na cintura e franziu a sobrancelha.

— Eu estive pensando... — continuei. — Será que eu poderia ir visitar o tio Lobo Louco? Ele sempre escreve dizendo que há muitos peixes para serem pescados.

— Pescar, não é? Tenho bezerros que precisam ser marcados e você quer galopar até o rio Arrebatado. — Ela estreitou os olhos. — Não consigo entender esse interesse repentino.

— Seria por poucos dias.

— Se quer saber, aquele meu irmão idiota tem tempo demais nas mãos.

Eu não deixei escapar a minha chance.

— Tem um trem que sai amanhã cedo. Eu estaria de volta antes que você pudesse sentir saudades.

— Amanhã! E quanto à cerca quebrada em Quatro Carvalhos?

— Terminarei tudo hoje.

— Não sei não. — Ela se apoiou na coronha da espingarda. — Tem havido muitos pedremotos para o meu gosto.

— Eu sei tomar conta de mim, vovó.

— Oh, eu não quero parecer uma velha mesquinha. Os Espíritos são testemunhas de que você dá bastante duro, assim como seu pai. Talvez essa seja uma parte do problema. Eu acabo esquecendo que você ainda é uma criança.

Odeio quando ela me chama de criança, mas mordo o lábio.

— Por favor, vovó!

— Vai depender de como você se sairá com a cerca.

— Isso quer dizer que posso ir?

— Não. Isso significa que depende de como você se sairá com aquela cerca — respondeu ela. — Agora, vamos descer logo, seu almoço está esfriando.

Comi meu almoço na grande mesa de madeira da cozinha: sopa de arroz selvagem seguida de uma fatia de torta de cereja e mel.

Vovó preparou sanduíches de carne seca e encheu garrafas de água para os ajudantes da fazenda.

Quando terminei, agradeci e voltei para as minhas tarefas.

Chegando ao curral, chamei Raio Lunar.

— Temos uma cerca para consertar, Luna.

Raio Lunar galopou em minha direção e quase me derrubou.

— Leve-me com você!

— Bem, eu não estava planejando ir *andando* até Quatro Carvalhos.

— Leve-me na caçada a Noose. Estive pensando... se o xerife não vai ajudá-lo, então, eu vou!

— Droga, Luna, eu nem sei se a vovó vai me deixar ir. E pode estar certa de que ela não me deixará sair daqui a cavalo.

— Então, pegamos o trem e eu vou no vagão dos cavalos. — A voz de Raio Lunar era suplicante. — Ouvi histórias sobre matadores de aluguel, e todos, sem exceção, tinham um cavalo. Dizem que o cavalo de Scarface Charlie farejava um bandido a cinco quilômetros de distância.

— Não sei, não. É complicado — respondi enquanto saíamos do curral. — Fenda Mortal não soa como o tipo de lugar para cavalos alados. Fica nas entranhas da rocha. Não há céu ou lugar para voar e é escuro. Escuro de verdade.

— Olha, eu sei que não sou um cavalo da cavalaria como o meu pai, mas está no meu sangue. Isso deve contar para alguma coisa. Certamente, você vai se deparar com brigas e confusões. Como espera fazer tudo sozinho?

— Não é nada contra você, Luna, mas, às vezes, contar com a ajuda de amigos é o pior que se pode fazer. — Pensei em papai no dia que soubemos do seu assassinato nos Picos Rochosos, de seus gritos pedindo cobertura. — Em brigas e lutas, é cada um por si na minha cartilha.

Raio Lunar não cedeu nem enquanto eu montava na sela e levantávamos voo.

— As coisas não são assim na cavalaria — argumentou ela. — Quando meu pai era da cavalaria celeste, ele me disse que cada cavalo e cada cavaleiro fazia parte de um todo muito maior, todos se unindo como aqueles dragões-trovão que vimos hoje cedo.

Luna certamente nunca permitia que esquecessem que o pai dela fora da cavalaria celeste, um exército de soldados corajosos sob o comando do Grã-xerife, o governante da Grande Rochoeste, que voava em cavalos alados altamente treinados. A base do pelotão celeste ficava em um forte na cidade Rocha Central.

—Vou esperar para ver o que vovó tem a dizer.

Trabalhei muito para consertar a cerca e demorou mais do que eu esperava. Eu tinha outras tarefas para cumprir no rancho, mas eu ainda teria tempo para fazer as malas se a história da pescaria colasse e vovó permitisse a minha partida.

Um nevoeiro começou a descer do leste — uma mistura turva amarela de poeira e umidade se espalhando pela rocha. Eu estava prestes a montar em Raio Lunar e voltar para o rancho, quando notei algo no campo áspero além da cerca recém-consertada.

—Viu aquilo, Luna?

Raio Lunar baixou o pescoço para seguir o meu olhar.

— Parece um bezerro.

Aproximei-me. A marca no flanco do animal, embora desbotada, era clara o suficiente: uma Fênix.

— É um dos nossos.

Pegando uma corda na sela, pulei a cerca e me aproximei, mantendo-me agachado para não assustar o bezerro.

Quando estava próximo o suficiente, lancei o laço e acertei o pescoço do animal.

— Ei, pequenino, você se perdeu? O que está fazendo passeando por aqui sozinho?

Trêmulo, o jovem bezerro ficou em silêncio.

Sorri.

— Nervoso demais para um papo entre criaturas.

Notei que o animal estava mancando um pouco, por isso puxei a corda bem devagar e abracei o pescoço dele para confortá-lo. Então, examinando sua pata traseira, disse:

—Você está um pouco machucado aqui. Temos de voltar para o rancho.

Levei o bezerro até Raio Lunar, que ergueu a cabeça, farejando o ar.

— O que foi, Luna?

— Acho que temos companhia.

Mal ela falou, eu divisei algo a distância. Sombras indistintas movimentando-se no calor fundido, sombras grandes — lobos palito de dente.

— Oh-oh! Temos companhia mesmo — concordei com o coração disparado.

Estávamos isolados, a quilômetros de distância do rancho e desarmados. Segurando o bezerro nos braços, notei que seus olhos estavam arregalados de medo como se sentisse a ameaça. Com dificuldade, escondi o bezerro atrás de uma moita, rezando para que os lobos não nos vissem. Havia o risco de que a alcateia estivesse seguindo para o campo. Eu precisava correr para alertar vovó e os outros rancheiros.

De repente, o bezerro se soltou da minha mão. Tentei agarrar a corda, mas ela escapuliu, queimando a minha palma. Fiz uma careta de dor.

— Droga! Volte aqui, seu diabinho!

Para meu terror, os lobos pararam — eles viram o bezerro.

Fiquei deitado de costas, observando, impotente, enquanto o bezerro corria para o descampado. Eu não podia me mexer, precisava manter a distância para o caso de precisar montar Raio Lunar para uma fuga rápida.

Raio Lunar estava nervosa.

— Não estou gostando nada disso, Will, eles estão se aproximando.

À medida que a alcateia vinha em nossa direção, percebi que o focinho deles estava manchado de sangue.

Suspirei de alívio.

— Está tudo bem, eles acabaram de matar. Suas barrigas estão cheias e não comerão por dias.

Tomei coragem e corri em direção ao bezerro, agarrando-o pelo pescoço. Escorreguei a mão por baixo da mandíbula do animal e torci sua cabeça até que ele tropeçasse. Então, amarrei os cascos juntos com a ponta da corda.

Um tiro ecoou no ar e eu me virei; vi a minha avó saindo das brumas com a espingarda erguida.

Os lobos correram apressados, uivando.

Uma confusão de asas batendo levantou a poeira enquanto ela pousava.

— Você está bem, filho?

— Tudo bem, vó, mas você não precisava ter desperdiçado uma bala. Eles acabaram de matar e devem estar procurando uma sombra para dormir.

— Você ficou aqui por muito tempo e eu achei melhor vir dar uma olhada. — Ela viu a cerca consertada. — Parece que você fez um bom trabalho.

— Obrigado. — Fiz um gesto para o bezerro assustado. — Este pequenino está ferido. Vou levá-lo de volta para o rancho.

Levantei gentilmente o animal e o coloquei na frente da sela. Raio Lunar lançou um olhar mal-humorado.

— Cuidado com esses cascos no meu pelo, ouviu?

Então, todos olhamos para o céu.

— Sobre a sua pescaria — começou Yenene, enquanto seus dedos enrugados manejavam com destreza as rédeas de sua montaria abaixo do nevoeiro e ao lado de Raio Lunar. — Assei algumas tortas. As favoritas do seu tio Lobo Louco. Não que ele as mereça, o velho idiota nunca pensa em pegar um trem para nos visitar. De qualquer forma, gostaria que as levasse para ele.

— Você quer dizer que eu posso ir?! — exclamei.

Os cantos da boca da vovó se levantaram em um raro sorriso.

— Com uma condição: você tem de me trazer um peixe bem grande.

— Pode deixar comigo, vovó — respondi, enquanto o rosto de Noose passava pela minha cabeça. — Planejo trazer o maior peixe e o mais feio que já viu na vida.

— Só me prometa que não vai se aproveitar demais da hospitalidade e ficar mais tempo do que deve.

— Prometo.

Notei Raio Lunar acenando com a cabeça e decidi que seria bom ter companhia.

— Sei que pegarei o trem, mas será que a Luna não poderia vir comigo?

— Desde que você se lembre de não montar próximo à beira da rocha quando houver ameaça de tempestade.

— Obrigado — agradeci, e Raio Lunar relinchou de alegria.

Sobrevoamos o Bosque do Túmulo, um pequeno grupo de árvores que sobrara do que um dia fora uma grande floresta. Dava para ver um totem podre erguido em uma pequena clareira. Yenene me contava histórias sobre como, havia centenas de anos, aquele lugar fora habitado por elfos que outrora viviam na ala oeste.

E assim fora até que os homens, fugindo das amargas guerras com os trolls do Bosque do Oeste, escalaram as rochas e expulsaram os elfos de lá. Atrás do bosque, havia montanhas rochosas com cavernas. Elas me lembravam da enorme caverna que abrigava a terrível cidade subterrânea Fenda Mortal, que eu estava prestes a visitar.

— Vovó, você já visitou a Fenda Mortal? — perguntei, tentando parecer casual.

Yenene meneou a cabeça.

— O mais próximo que já cheguei daquele lugar esquecido pelos espíritos foi quando cavalguei com seu pai até os Picos Rochosos naquela vez que aquele elfo idiota Eldon estava perdendo todo o seu tempo precioso medindo os pedremotos. Só de estar perto da Fenda Mortal me deu um arrepio na espinha. Lembro-me de ver o Expresso sem vivalma e pensei *Bem, isso faz sentido.* Quem iria querer pegar um trem para um buraco cheio de trolls gângsteres como aquele?

— Eldon não tinha medo de ir até lá?

— Seu pai avisou a ele para ser muito cauteloso, mas Eldon não estava nem aí. Estava envolvido demais com sua aparelhagem e experimentos malucos. Se ao menos seu pai não tivesse ignorado os próprios avisos e ido até aquele lugar naquele dia.

— Por que papai teve de voltar?

— Elson pediu que ele levasse o xerife Slugmarsh para mostrar uma nova descoberta que fizera. Nunca descobri sobre o que se tratava. O seu pai tinha acabado de chegar quando Noose saiu do vapor de um trem e viu oficiais da lei... Bem, não precisamos ficar relembrando isso.

Engoli o nó que se formou na minha garganta quando uma imagem de papai passou pela minha cabeça. Levei a mão ao bolso para verificar o recorte de jornal que estava no arquivo de Noose, sentindo o papel dobrado.

— Você acha que um tornado levou Eldon dos picos? — perguntei.

— O seu chute é tão bom quanto o meu. O xerife disse que Eldon não estava lá quando ele e seu pai chegaram naquele dia e ninguém mais o viu desde então.

Pousando próximo ao curral, acariciei Raio Lunar, depois peguei suas rédeas. Um dos rancheiros levou o bezerro para cuidar dele.

— Ainda acho que Slugmarsh não é de grande valia em um tiroteio, imagina então como xerife.

— Slugmarsh disse que Noose estava acompanhado de uma gangue. Disse que não tinham chance. — Vovó puxou o meu chapéu para cobrir meus olhos. —Vamos lá, acho que você merece um grande pedaço da torta que acabei de assar. Uma será suficiente para o seu tio.

A lua estava alta no céu, banhando a Grande Rochoeste com uma luz pálida e fantasmagórica quando me aproximei do celeiro e estábulo. Eu ainda tinha uma última coisa para colocar na mala, só que não queria que vovó nem ninguém soubesse daquilo.

O ar dentro do estábulo estava carregado com o cheiro adocicado de feno e couro misturado com o suor dos cavalos. Cumprimentei-os todos enquanto passava por suas baias.

Raio Lunar esfolegou, balançando as orelhas ao ouvir o som da minha voz.

— Will, nós vamos sair para dar uma volta? A lua está brilhando lá fora.

— Melhor não, Luna. Tenho de pegar uma coisa.

— Para a caçada? — perguntou Raio Lunar, animada.

— É. Você está pronta?

— Pode apostar. Não consigo pensar em outra coisa. Quando partimos?

— Amanhã.

— Ótimo. Nada de ficar esperando.

— Melhor partirmos logo, antes que vovó tenha a chance de mudar de ideia.

— Bem, não se preocupe comigo, eu não vou atrasá-lo. Estou pronta para partir esta noite se você decidir.

Dei um passo para trás e levei o dedo aos lábios.

— Acalme-se. Não dê na pinta. Vovó não sabe que estou aqui.

Quando eu era pequeno, tinha medo de entrar no celeiro. As paredes eram decoradas com dezenas de antigos artefatos elfos que vovô colecionava. Havia um tambor de madeira com a pintura de um guerreiro elfo montado em um cavalo erguido sobre as patas traseiras, cercado por flechas passantes. Atrás disso, havia o desenho de uma antiga caveira de búfalo das rochas que ainda fazia os cabelos da minha nuca se arrepiarem.

Subi em um banco e peguei uma linda zarabatana de madeira entalhada, mais ou menos do tamanho do meu braço.

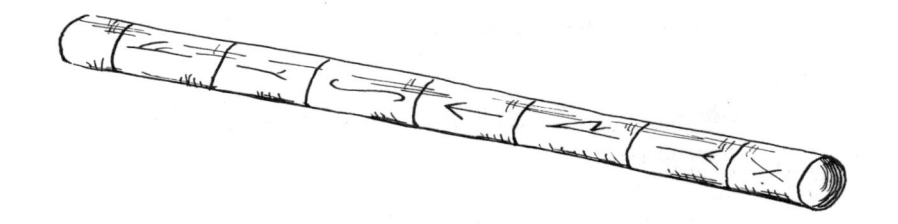

Levei-a aos lábios e soprei devagar. Meu sopro passou silenciosamente pelo canal estreito. Ao lado dela, havia uma pequena bolsa de couro, a qual também peguei. Abri-a e contei seis dardos pontiagudos, lascas de varas do rio encimadas por uma águia. Examinei o fundo da bolsa e peguei um vidro pequeno repleto com um gel esverdeado. Iscas!

As palavras escritas no rótulo do vidro eram de um dialeto elfo, mas eu sabia exatamente o que havia ali — veneno do suor de um sapo da floresta. Um dardo com apenas uma pequena gota daquele veneno seria o suficiente para fazer a vítima cair em um sono profundo e delirante que duraria um dia inteiro. Eu praticava já havia  algumas semanas e agora aquele seria o meu último treino. Coloquei um dos dardos na zarabatana e mirei no alvo: um pequeno círculo que desenhei com giz branco em uma distante pilastra de madeira. O dardo cortou o ar e atingiu o centro do alvo.

Raio Lunar me observava. Ela arregalou os olhos ainda mais e, animada, exclamou:

— Ah, agora entendi. Você vai matá-lo com um dardo envenenado?

— Shhh! Não vou matar ninguém — retruquei. — Vou fazer
com que durma para que eu possa colocá-lo a bordo do Expresso
e levá-lo para a cadeia da Rocha Central.

— Mas como vamos mover um troll grande, gordo e dro-
gado?

Sorri.

— Acho que é aí que você entra. Vou colocá-lo atravessado na
sua sela como fiz com o pequeno bezerro hoje cedo. — Um olhar
de horror se espalhou pelo rosto de Raio Lunar até que acrescentei: — Não entre em pânico. Vi uma foto de Noose dando uma
chave de pescoço em Gus Markham da venda local. Eles estavam
lado a lado, só que Gus é mais alto do que Noose e eu sou mais
ou menos da mesma altura de Gus, então acho que Noose não é
muito maior do que eu. Talvez ele tenha um pouco de sangue de
anão.

Arranquei o dardo da pilastra e
o coloquei de volta na bolsa junto
com os outros. Então, escondi a
zarabatana sob o meu casaco da
melhor forma que consegui.

— Tente descansar bas-
tante, Luna. Amanhã será um
grande dia.

Voltei para o meu quarto,
tendo o cuidado de manter

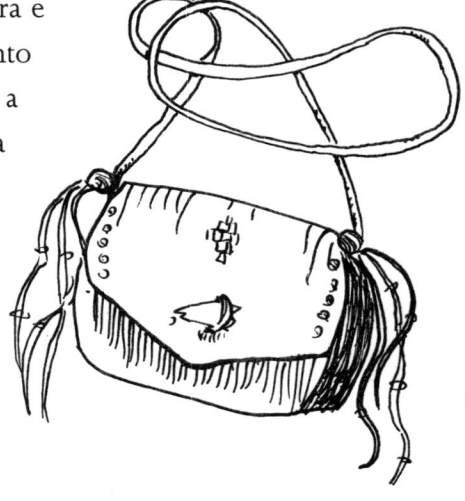

a zarabatana oculta. Guardei-a na bolsa de lona junto com a vara de pescar. Será que alguns dias seriam o suficiente? Eu teria de me certificar que sim. Precisava descobrir bem rápido o paradeiro de Noose e trazê-lo diante da justiça.

Terminei de fazer as malas, bocejei e deitei na cama. Eu teria de acordar cedo para pegar o trem.

CAPÍTULO TRÊS

★

O cavalo de ferro

A estação de Minerópolis tinha a honra duvidosa de ser a menor e mais imunda estação de toda Rochoeste. Os terremotos realmente cobravam um preço alto. A barraca desmantelada de madeira, com janelas quebradas e um relógio que não marcava a hora certa, oferecia abrigo. É claro que o teto tinha tantos buracos que, se chovesse, você ficaria encharcado. A plataforma era suja e repleta de garrafas vazias e jornais que giravam no ar devido aos redemoinhos que se formavam aqui e acolá.

Uma família estava ali com malas e caixas de madeira. Uma das crianças se aproximou para acariciar Raio Lunar e me disse que os tremores eram demais para eles, por isso tinham decidido se mudar para Rocha Central. Aquela era uma história cada vez mais comum.

— O trem está chegando! — exclamei, ouvindo o apito ao longe. — Tem certeza de que quer mesmo vir comigo, Luna?

Luna jogou a cabeça para trás, erguendo as orelhas.

— Você está brincando? Não acredito que você estava pensando em ir sem mim.

Consegui ver o Expresso Rocha Central serpenteando pelo caminho tortuoso do interior e seguindo pela beirada da rocha, puxando uma fileira de vagões.

Senti o coração bater como um tambor da paz dos elfos pele verde. O Expresso sempre me deixava animado. Quando eu era menor, costumava ficar sentado durante horas com papai, apenas assistindo aos trens trovejarem entrando e saindo da estação.

A locomotiva a vapor, como um animal imenso bufando e baforando, se dirigia para a pequena estação. Eu me perguntava como Yenene podia odiar os trens.

"Malditos cavalos de ferro" era como os chamava e jurara nunca viajar em um. Vapor e fumaça eram lançados em grandes nuvens que, às vezes, tomavam uma forma. Anos atrás, eu tivera pesadelos durante semanas depois que vira a imagem horripilante do rosto de um demônio me olhando com cara feia saindo da fumaça. Papai me dissera que eu estava imaginando coisas.

O trem gemeu e parou, suas rodas de ferro protestando contra o trilho malconservado. Os tremores de Rochoeste e uma explosão nas viagens de trem tinham um impacto grande sobre o metal antigo. Levei Raio Lunar até o vagão dos cavalos, acordando o condutor que estava em um vagão vizinho, e comecei a deslizar a porta para Luna entrar. Senti o suor escorrer pelo meu rosto. Nada a ver com o calor. Chegara a hora. Uma vez que eu subisse a bordo do trem, a caçada começaria.

Vendo que o vagão de cavalos estava vazio, dirigi-me ao condutor.

— Senhor, ela ficará completamente sozinha aqui. Será que eu não poderia ficar com ela?

— Isso é contra as regras, filho — explicou o condutor, descendo a rampa. — As pessoas viajam nos vagões para passageiros.

Eu a acompanhei até o vagão para cavalos.

— Sinto muito, Luna, mas não vai demorar muito para chegarmos à Fenda Mortal.

Caminhei pela plataforma e escolhi um vagão vazio. Sentei-me à janela. Logo depois, um apito soou e, com um solavanco, o trem começou a se mover.

Segurei a vara e a bolsa bem firme ao meu lado. Não importava que eu não alcançasse a prateleira de bagagem sem precisar ficar em pé no banco, já que eu não tinha a menor intenção de perdê-las de vista. Eram tudo o que eu possuía naquele momento.

As construções de Minerópolis passavam pela janela: o banco, a venda local, o posto do xerife. Imaginei que Slugmarsh deveria estar dormindo, com as pernas coladas na mesa, como de costume.

Depois de algum tempo, um velho elfo, usando um paletó limpo verde e prateado da Companhia Ferroviária, entrou no vagão, carregando uma caixa de fósforos, e caminhou até o lampião sobre a janela.

— Logo ficará bem escuro por aqui — murmurou ele. — Vamos passar por um túnel. — O elfo parecia ser ainda mais velho do que vovó, mas obviamente era pobre demais para deixar de trabalhar. Eu admirava os elfos acima de todas as criaturas da Rochoeste, mais até do que os humanos. Eram uma raça orgulhosa e trabalhadora. Sem mencionar o fato de eu ser metade elfo.

Curiosamente, o elfo não abriu a caixa de fósforos. Em vez disso, arqueou a mão sobre a tampa de vidro. Assim que fez isso, uma fumaça começou a se elevar, passando por entre os dedos dele. Logo depois, uma pequena chama tremulou na fumaça. *Magia dos elfos.*

— Gostaria de fazer magia assim — disse eu ao elfo. — Mas vovó diz que eu não posso porque sou apenas metade elfo.

— Com todo respeito, a sua avó está errada. Ela só deve estar com medo.

— Medo? De quê?

— Toda magia tem o seu lado negro — declarou ele, solene. — Mas nas mãos certas pode ser um poder para o bem.

— Meu tio Lobo Louco é um mago curandeiro da tribo Repolho Alegre. Uma vez, quando estávamos pescando, ele conjurou uma bola de fogo do tamanho de uma melancia com as palmas das mãos. É claro que nunca contei a vovó.

Ele ergueu as sobrancelhas peludas.

— É um grande feito. Quando eu era um jovem elfo, fui aprendiz de um mago curandeiro por quase um ano antes de fugir para trabalhar para a Companhia Ferroviária. Foi com ele que aprendi a conjurar uma chama. — Lançou um olhar desamparado para o lampião e virou-se para sair. — Às vezes, gostaria de ter ficado lá. É uma vocação nobre. Os livros de história contam que foi o mago curandeiro que manteve os invasores humanos acuados por tanto tempo na ala oeste centenas de anos atrás.

— Obrigado — agradeci quando ele saiu. Gostaria que ele ficasse e contasse mais sobre a magia dos elfos, e acredito que ele ficaria se não estivesse tão ocupado.

Pouco tempo depois, o trem mergulhou em um túnel escuro. O nível de barulho dobrou, pois ecoava nas paredes rochosas. Olhei para a escuridão. E dois olhos brilhantes, em uma caveira branca e enorme, me encararam de volta na penumbra, acompanhados pelo som de uma gargalhada sinistra. Senti o sangue gelar nas veias e me encostei no assento. Uma fantasmagórica mão passou direto pela janela como se não houvesse vidro ali e tateou pelo vagão. A chama tremulou no lampião e quase se apagou, e a mão retrocedeu. Ouvi mais gargalhadas. Não me atrevia nem a respirar. A chama se fortaleceu e tornou a brilhar forte.

Fiquei aliviado quando o trem saiu do túnel e a luz do dia atingiu meus olhos. O velho elfo que acendera o lampião voltou, dessa vez carregando um pequeno apagador de latão. Novamente o utensílio foi deixado de lado, pois, com um aceno da sua mão vazia, a chama se apagou.

O elfo voltou o olhar leitoso para mim.

— Você está bem?

— Havia algo no vagão, a mão...

Ele concordou com a cabeça.

— Há espíritos malignos chamados de ira das minas assombrando as entranhas da rocha. Um dia, você *precisa* encontrar tempo para aprender magia dos elfos. Principalmente porque seu tio é um mago. A sua linhagem deve ser forte. Você poderia trazer um grande bem para o seu povo.

Eu estava pensando nisso quando o elfo fez o apagador desaparecer. Então, com uma piscadela, ele acrescentou:

— A propósito, você não viu nada disso. O meu chefe na Companhia Ferroviária odeia magia. Assim como a maioria dos humanos.

Quando ele partiu, olhei para a paisagem seca e tostada do topo da ala leste. Lá no alto, vi palhoças e totens altos da Vila Repolho Alegre. Um tempo depois, o Expresso passava por um caminho entre eles. Um elfo pele verde montado em um cavalo do vento lindo e castanho galopava ao lado do trem. Pensei em Raio Lunar. Esperava que ela não estivesse desconfortável ou amedrontada demais no vagão dos cavalos.

Escorreguei pelo assento quando o trem se aproximou da estação de Repolho Alegre. Mesmo que fossem mínimas as chances do tio Lobo Louco estar ali, eu não podia arriscar. O condutor lançou-me um olhar estranho quando passou por mim, mas eu me mantive firme.

O trem saiu da estação e, com a cabeça apoiada na janela, observei por um longo tempo a paisagem rochosa sem pensar em nada. Eu estava cansado. Dormira pouco na noite anterior. Então, fiz algo que jurei não fazer: adormeci.

Acordei um pouco depois e descobri que alguém colocara uma almofada na minha cabeça. Tateei, nervoso, em busca da bolsa e da vara de pescar. Tinham sumido. Segurando a respiração, olhei em volta do vagão vazio e ergui os olhos para o compartimento de bagagens. Estava tudo ali. Respirei novamente. Alguém estava sendo bastante atencioso. Talvez fosse o elfo acendedor de lampiões ou talvez algum outro passageiro que já se fora. Meu alívio durou pouco tempo quando um outro pensamento surgiu em minha mente. Onde eu estava? E se o trem já tivesse passado pela Fenda Mortal e eu tivesse perdido a parada? Olhei pela janela. O trem viajava por uma região rochosa, uma descida escarpada por quilômetros e quilômetros até Desolação. Abri a porta da cabine e caminhei pelo corredor estreito para perguntar a alguém. O trem estava quase vazio, exceto por alguns passageiros do povo da floresta, provavelmente a caminho do Bosque do Oeste. Falei com um deles, mas o rosto sem expressão me mostrou que ele não entendia a minha língua. Então, ouvi vozes próximas e me dirigi para a cabine seguinte.

Uma gangue de goblins cauda de chicote estava esparramada pelos assentos, tomando uísque Bafo Bafudo e jogando pôquer cobreiro. Congelei, reconhecendo na hora um deles como o goblin da cadeia de Minerópolis.

— Ora, ora, o que temos aqui?

O goblin cauda de chicote se levantou com um sorriso se espalhando pelo rosto.

— Então, você vai mesmo para Fenda Mortal. Você tem mais coragem do que eu imaginava. Venha, junte-se a nós, xerife suplente. — O sorriso rapidamente foi substituído por um rosnar quando o goblin ergueu a cauda para mostrar o inchaço que se formara. — Surpreso por me ver, pequeno herói? Está se perguntando como consegui escapar?

Não consegui dizer nada.

— Então, deixe-me contar como foi — continuou ele. — Parece que eu estava errado sobre ser enforcado. Principalmente porque a testemunha-chave do xerife sofreu um pequeno acidente.

O goblin lançou a cauda e acertou o meu rosto. Ardeu bastante e eu caí no chão.

Os comparsas do cauda de chicote riram.

— Isso é para você aprender, escória elfa — babou um deles.

— Sabem de uma coisa, companheiros? Acho que ele não aprendeu. Esse garoto precisa de mais do que apenas uma lição. — O goblin se aproximou de mim, rindo até que a saliva escorresse pelo queixo.

Rolei pelo chão, consegui me levantar e corri, desajeitado, pelo corredor, batendo nas portas abertas que separavam os compartimentos.

— Não há para onde fugir, garoto — provocou o goblin, parecendo não ter a menor pressa de me capturar.

Cheguei ao último compartimento e me deparei com uma placa de metal na porta, onde se lia:

Não hesitei. Bati com as duas mãos na barra da porta e saí. Vacilante, parei olhando para o encaixe que unia os dois vagões.

Abaixo, os trilhos passavam rápido, fazendo a minha cabeça girar. O trem Expresso estava a toda velocidade. Achei que dava para pular até o outro vagão, mas se eu errasse ou não conseguisse agarrar a porta do outro lado...

Olhando para trás, vi o goblin no penúltimo compartimento, caminhando devagar e rindo. Então, sem olhar para baixo, pulei. Consegui passar pelo encaixe, mas não consegui pegar a barra da porta. Sacudi as mãos no ar e alcancei o degrau de uma escada de metal que levava até o topo do trem.

— Ei, você aí embaixo? Tá doido? — perguntou uma voz acima de mim.

Olhei para cima e vi uma anã mais ou menos da minha idade debruçada sobre o topo do trem.

— Estou sendo perseguido! — expliquei.

— Perseguido! Bem, por que não disse logo? Rápido, suba a escada. — A anã estendeu a mão. — Venha!

Eu não tinha nada a perder. Subi a escada em direção à estranha e, agarrando seus dedos curtos, alcancei o topo do trem.

— Agora, puxe a escada. Ela vai se soltar — instruiu a anã, agarrando a outra ponta.

Nós dois puxamos.

— Está presa — arfei.

— Está enferrujada. Puxe com toda a força. Vamos, a gente vai conseguir.

Puxei de novo com toda a minha força. Uma das extremidades se soltou, depois a outra, e nós puxamos a escada até o topo. Caí para trás, ofegante.

A menina se inclinou para a frente para me olhar e eu me deparei com dois olhos verdes de um tom bem claro que eu nunca vira antes. O rosto dela era redondo e estava sujo, e os cabelos pretos formavam uma massa desgrenhada.

— Quem é você? — perguntei.

— Meu nome é Jez — respondeu a anã, agarrando a minha mão, apertando-a com vigor. — E é um prazer conhecê-lo.

— Meu nome é Will — respondi. — O que você está fazendo aqui em cima?

— Pegando um pouco do ar puro da cidade Rocha Central, isso sim. — Ela riu. — Eu trabalho na mina de estanho da Fenda Mortal e, sempre que posso, subo no topo do Expresso. Isso me faz lembrar que ainda existe um mundo lá fora, com ar de verdade e águias e coiotes lunares. Não entendo por que as pessoas preferem ficar abafadas nos compartimentos lá embaixo, em vez de viajarem aqui em cima. — Ela espiou o vagão. — Shh! Alguém está abrindo a porta do vagão.

CAPÍTULO QUATRO

★

Uma anã chamada Jez

O uvi a porta do vagão se abrir lá embaixo, então, uma risada ébria, um som de cusparada e, depois, a voz raivosa do goblin:

— Parece que você acabou aprendendo sua lição, garoto idiota.

Seguiram-se mais risadas maníacas e, então, a porta se fechou. Jez se afastou da beirada do trem e virou-se para mim.

— Ele se foi. Parecia uma peste enlouquecida. Você deve ter chacoalhado a cela dele, enfurecendo-o de verdade.

— Obrigado — agradeci. Uma lufada forte de vento me fez agarrar a beirada do trem. — Foi um terremoto que chacoalhou a cela dele. Eu só prendi a cauda dele na porta. — Olhei para Jez por um tempo antes de perguntar: — Você é uma anã, não é?

— Anã das pradarias, se quer mesmo saber — respondeu ela, observando-me. — Você parece humano, a não ser pelas orelhas enormes e pontudas. Nunca vi isso em humanos.

— Meu pai era humano e minha mãe, uma elfa pele verde.

— Eram. — Jez baixou o olhar. — Isso quer dizer que eles já morreram?

Concordei com a cabeça.

— Os meus também. Meu pai foi assassinado ao tentar acabar com uma briga de bar e minha mãe morreu um pouco depois. Dizem que de coração partido.

— Você disse que trabalha na mina de estanho da Fenda Mortal?

— Isso.

— É para lá que estou indo.

— Se você for esperto ficará no trem.

— Por quê?

— A Fenda Mortal é um lugar diabólico. Cheio de nojentos trolls barriga de serpente.

Ficamos em silêncio por um tempo, olhando para o céu. Então, decidi que chegara a hora de eu partir.

— Obrigada por me ajudar. Mas tenho de ir agora. Minha bagagem está no trem.

Senti os olhos de Jez me acompanharem enquanto empurrava a escada e a prendia no teto do trem.

— Aquele goblin ainda deve estar andando por lá. E se ele encontrar você? Talvez você não tenha tanta sorte da próxima vez!

— Não tenho escolha. Preciso das minhas coisas.

— Não quero me intrometer, mas seria melhor se você descesse pela lateral do trem e entrasse pela janela da cabine. Eu tenho um pedaço de corda. Espero que você consiga pegar as suas coisas e trazê-las aqui para cima.

Pensei um pouco. Fazia sentido ficar fora do caminho do goblin pelo resto da viagem, embora eu não tivesse tanta certeza se o plano de Jez seria menos perigoso do que enfrentar o goblin.

— Como eu chego até a janela?

— Elas se abrem por cima, você pode empurrá-la para baixo com os pés.

— Tudo bem, então. Vou fazer isso — disse eu. — Onde está a corda?

Jez desamarrou a corda de uma grade. — Eu a uso para me segurar. Às vezes, venta muito forte aqui em cima. — Ela olhou para o lado do trem antes de acrescentar: — É melhor se apressar. Há um tornado se formando lá embaixo na rocha e logo chegará aqui em cima.

Dei um salto sobre o vão que ligava os vagões sem dificuldade, amarrei a corda à grade acima do que eu acreditava ser o lugar que eu ocupara e puxei, testando para ver se o nó estava firme. Respirando fundo, escorreguei pela lateral do trem. Um vento do leste me atingiu enquanto eu descia pela janela e eu fiquei pendurado como um enforcado na forca. Balançando as pernas, consegui colocar o pé na janela e, então, empurrei-a para baixo com cuidado e entrei. Minha bagagem ainda estava no compartimento sobre o meu assento, e eu a peguei, passando a alça da bolsa e da vara de pescar pelos meus ombros.

Estava prestes a sair pela janela quando alguém esbarrou na porta da cabine. Virando-me, senti o sangue gelar nas veias — era ninguém menos que o goblin fora da lei. Ele parecia bêbado; segurava uma garrafa de uísque Bafo Bafudo como um troféu e cantava, desafinado, uma canção dos goblins. Ele espiou a cabine, contorcendo o rosto para enxergar as coisas. Virei-me rápido para a janela.

Segundos depois, o goblin escancarou a porta e ficou cambaleando ali.

— O qu... Eu pensei que estivesse morto... tivesse caído do trem... Seu trapaceiro — xingou ele.

Enfiei a mão na bolsa e agarrei um dardo envenenado.

— Afaste-se e ninguém se machucará.

O goblin caiu na gargalhada e levantou a cauda.

— Você acha que pode me machucar, não é?

Remexendo na bolsa, abri a tampa do veneno e mergulhei a ponta do dardo na mistura gelatinosa. Eu tinha acabado de fechar o vidro quando o goblin se arremessou na minha direção.

— Você vem comigo.

O goblin agarrou os meus cabelos, mas eu atirei o dardo, fincando-o no sovaco dele. Ele soltou um grito de dor e retrocedeu. Derrubou a garrafa de uísque Bafo Bafudo, que se espatifou no chão, e o fedor da bebida encheu a cabine.

— Seu pequeno verme! Você vai pagar caro por me fazer queb... — sua voz sumiu enquanto o veneno mais rápido e potente da Rochoeste correu por suas veias, envolvendo o seu cérebro e desligando-o. Os olhos do goblin dançaram nas órbitas e ele caiu de joelhos.

Jez escolheu aquele exato momento para descer pela corda e espiar a cabine.

— Mais goblins — arfou ela. — Eles estão se multiplicando. Você está bem?

Dei um passo para a frente enquanto o goblin caía aos meus pés.

— Estou bem. Acho que agora ele entendeu.

— Este é o mesmo verme que estava seguindo você?

— É.

— Você está com algum tipo de problema, Will?

— Não. Ele só está zangado porque ajudei o xerife a mantê-lo mais tempo atrás das grades.

— Bem, eu vou... — começou Jez, com um brilho no olhar. — Você é um agente da justiça, não é?

Sorri, passando pela janela. O goblin, em vez de cair de cara no chão, deve ter encontrado um pouco de energia, pois tentou agarrar os meus pés enquanto eu subia na janela, mas ele já estava muito fora de si. Com os braços esticados e a cauda batendo de um lado para o outro, ele se inclinou em uma tentativa de me agarrar.

— Verme! — exclamou. Mas ele se inclinou demais e, perdendo o equilíbrio, caiu pela janela. Arfei enquanto o goblin despencava pelas rochas em direção à Desolação.

De volta ao topo do trem, o vento estava forte chicoteando à nossa volta. Estremeci, sem conseguir tirar o goblin enlouquecido da cabeça.

De repente, Jez se ergueu, observando a beira das rochas.

— Pelas barbas do Deus Goblin! Quase me esqueci da minha parada.

— Estamos chegando à Fenda Mortal? — perguntei, esperançoso. Pensei em Raio Lunar presa no vagão de cavalos e desejei que ela não estivesse sacolejando muito.

— Não estou indo para a Fenda Mortal. Vou descer próximo aos Picos Rochosos.

Picos Rochosos. O nome me arrancou dos meus pensamentos.

— É claro que o trem não para. Por isso, tenho de prestar atenção — continuou Jez. — Diga-me qual é o seu problema. Parece que acabou de beber leite azedo.

— Meu pai foi assassinado nos Picos Rochosos.

— Sinto muito.

— Não foi sua culpa.

— Eu sei, acho que eu sempre ouço as pessoas dizerem que sentem muito quando... Bem, você sabe.

Concordei com a cabeça. Pensei muito nos Picos Rochosos nos últimos dias, mas não planejara visitar tal lugar. Até agora. Pareceu-me um bom lugar para iniciar a caçada, ver o local onde o papai havia sido atingido. Talvez ainda tenham algumas pistas sobre o que realmente aconteceu ali. Talvez até pistas sobre o paradeiro de Noose.

— O trem não para? — perguntei, de repente, pensando no comentário anterior de Jez. — Então, o que você vai fazer? Pular?

A parede de rocha passava diante deles, algumas vezes próxima o suficiente para a tocarem. Jez concordou com a cabeça.

— Não é tão difícil quanto parece. O trem diminui um pouquinho a velocidade em uma curva e, em certo ponto, passa por uma cadeia de arbustos de bigodes de cowboy, e basta dar um salto preciso e bem cronometrado em uma grande moita.

Olhei para o outro lado de rocha e vi um tornado girando para baixo, afastando-se dos trilhos. Meus pensamentos giraram com ele por um tempo e, então, anunciei:

— Não estou seguindo você nem nada, mas acho que também vou descer nos Picos Rochosos.

— Pensei que estivesse seguindo para a Fenda Mortal.

— E estou, mas vou depois. Tudo bem se eu descer com você?

— Esse lado da rocha pertence a todo mundo — respondeu ela, dando de ombros. — Mas se você acha que os Picos Rochosos são um tipo de cidade, saiba que está errado. Não há nada lá, só rocha tostada, ervas daninhas e umas árvores retorcidas e engraçadas. — Erguendo um dos dedos robustos e curtos, ela apontou adiante. É ali. Você tem de jogar primeiro a bolsa.

— Não estou bem certo sobre pular — respondi. — Parece meio perigoso. Você não acha?

— Não temos muita escolha, a não ser que tenha alguma ideia melhor.

Pegando a corda, comecei a engatinhar na direção do vagão dos cavalos.

— Acho que talvez eu tenha. — Sorri. — Em vez de saltar, Jez, o que você acha de voarmos?

CAPÍTULO CINCO

★

Picos Rochosos

ssim, uma vez mais, eu me vi deslizando pela lateral do Expresso, segurando-me na corda de Jez.

— Aonde você vai?

— Pegar Luna, minha égua.

— Você tem um cavalo?

— Sim.

Abri a porta do vagão, deixando o sol banhar seu interior. Depois, balancei e me joguei para dentro.

Raio Lunar piscou para mim.

— Will, pensei que fosse proibido pessoas viajarem no vagão dos cavalos.

— Vamos desembarcar nos Picos Rochosos — avisei. — E o trem não para. Então, teremos de voar.

Jez também se jogou para dentro e caiu bem ao meu lado.

— Uau, nunca montei um cavalo alado. Ela é muito bonita, pálida como a ira da mina.

Estremecendo ao pensar na ira da mina que vira antes, notei Raio Lunar lançar um olhar cheio de suspeitas em direção à anã.

— Quem é esta?

— Jez. Eu a conheci no teto do Expresso — expliquei. — Ela virá conosco.

— Papo entre criaturas. Sem dúvida, existe um elfo em você — riu Jez.

Raio Lunar pareceu um pouco decepcionada com a ideia de carregar mais uma passageira, mas não reclamou quando ambos montamos na sela. Trotando até a beirada do vagão, ela mergulhou no ar.

— Êêêêêêêêêêê! — exclamou Jez bem alto enquanto nos afastávamos do trem.

— Grite um pouco menos — pedi, enfiando os dedos nos ouvidos. — Ou eu ficarei surdo antes de chegarmos lá.

Mas Jez não estava ouvindo: em vez disso, esticou os braços como asas.

— Sou um pássaro. Sou uma águia!

— Que tal nos mostrar o caminho? — sugeri.

Jez apontou para baixo.

— É para lá que vamos!

A cordilheira se esparramava por muitos quilômetros, entalhada na ala oeste da Grande Rochoeste. Na área mais estreita, mal havia espaço para andar. Na mais larga, era possível construir uma pequena casa, não que isso fosse uma boa ideia, já que era possível sair pela porta da frente e mergulhar por muitos metros pela parede de rocha, caindo com um estalo bem no meio de Desolação. Acima

e abaixo, havia rochas escarpadas e cumes menores, encimados por arbustos e árvores retorcidas, conforme Jez mencionara. Ela apontava agora para a parte mais larga.

—Tudo bem para você descer ali, Luna?

Um relincho alto me disse que ela ficaria feliz em tentar; inclinando as asas, ela se lançou para baixo em direção ao cume.

Depois de pousarmos, desmontei antes de ajudar Jez, que estava boquiaberta.

— Acho que isso foi dez vezes melhor do que andar no teto do Expresso! — declarou ela. — O principal cume fica por ali — informou ela. — Dê uma olhada por aí se quiser. Vou preparar algo para comermos. Estou morrendo de fome.

Observei Jez caminhar com desenvoltura por uma borda bem estreita até desaparecer atrás de um arbusto de hera daninha. Então, Raio Lunar e eu atravessamos o cume, e uma onda de decepção logo se formou no meu peito.

— Jez estava certa — disse eu para Raio Lunar. — Não há nada além de rochas, pedras e mato.

Perguntei-me se eu tomara a decisão certa de saltar do trem nos Picos Rochosos. A essa altura, já estaríamos na Fenda Mortal se tivéssemos permanecido no trem. Caminhei pelo cume, chutando algumas pedras e observando enquanto elas quicavam pelo caminho até caírem pela beirada.

Raio Lunar balançou a cabeça.

— O que aquela bandeira está fazendo ali?

— Que bandeira?

— Bem ali.

Caminhamos até o local onde algo parecia se elevar do chão. Ajoelhei para examinar e descobri que se tratava de uma estaca para prender barracas, presa à rocha mesmo depois de a tenda ter sido lançada no abismo, a não ser por um pedaço rasgado de lona branca voando ao sabor do vendo.

Arfei.

— Talvez este seja o local onde Eldon trabalhava. É muito provável que ele tenha usado uma tenda como esta.

Raio Lunar não respondeu. Esfregava o casco no chão.

— Tem algo aqui. — Ela conseguiu retirar um pouco de terra e revelar um pequeno objeto brilhante.

Peguei-o.

— Um cartucho! — Engoli o choro, ciente de que poderia ser um resíduo do tiroteio que matara meu pai. Talvez até o cartucho da bala que o atingira. Guardei-o no bolso. Olhamos em volta por mais um tempo, mas não encontramos mais nada. Então, decidi: — Vamos voltar e perguntar se Jez viu alguma coisa.

Um vento forte soprava enquanto voltávamos e seguíamos pelo caminho que Jez seguira, onde a passagem se estreitava bastante. Bem à frente, notei uma coluna de fumaça se erguendo para o céu noturno. Seguimos a fumaça e chegamos a uma pequena clareira. O fogo crepitava forte no meio de duas pedras. Jez estava sentada segurando uma colher de pau, mexendo uma panela de feijão que fervia sobre a chama. O cheiro me fez lembrar como eu estava faminto, pois mal comera o café da manhã que Yenene preparara para mim pela manhã. Deixei Raio Lunar pastando e me sentei em um tronco perto do fogo.

— Encontrou o que estava procurando? — perguntou Jez.

— Não — respondi, dando de ombros. — Você se lembra de um velho elfo acampado no cume, mais ou menos há um ano?

Ela negou com a cabeça.

— Não moro aqui há tanto tempo assim. Minha mãe morreu nessa época.

— Você mora aqui?

— Claro que sim, e vou dizer uma coisa, não moraria em outro lugar nem por um milhão de pepitas de ouro. — Jez respirou fundo. — Descobri este lugar por acaso. Sabe? Eu trabalho principalmente nos túneis de ventilação das minas. Tenho de manter os túneis livres de pedras, terra, ninhos de rato da terra ou qualquer coisa que interrompa o fluxo de ar para as minas principais. — Ela apontou para um buraco escuro na lateral da rocha. — Esse túnel de ventilação vai até o coração da mina de estanho da Fenda Mortal.

— Você não teme que um tornado a atire para o abismo? Quero dizer, como você dorme à noite?

— Eu não fui para a escola, mas não sou burra. Durmo num colchão de palha dentro do túnel de ventilação.

O sol começou a derreter sob o horizonte distante. Estremeci, sentindo-me frio de repente. O som rítmico dos grilos se elevou da manta de pedras e troncos que cobriam o chão, acompanhado pelo uivo triste de um coiote para a lua. Jez serviu o feijão em um prato de estanho com um pedaço de pão.

— Obrigado.

— De nada. É bom ter companhia.

Depois de algumas garfadas, perguntei:

— Você é de onde?

— Nasci em Desolação, em um lugar chamado Oásis. Já ouviu falar?

Neguei com a cabeça.

— Não, mas gostei do nome.

— Depois que papai e mamãe morreram, fui morar com uma tia maluca e fiquei com ela até fugir e encontrar um emprego na mina de estanho.

— Você não poderia morar em algum lugar na Fenda Mortal?

— Eu não conseguiria morar lá. Quase nenhum anão mora. Tentei por um tempo, mas não funcionou. Acho que é por causa de onde eu vim, sabe? Em Desolação, não há nenhum lugar onde você não veja o horizonte se estendendo por milhares de quilômetros à sua volta, pregando peças nos seus olhos, misturando pedras e terra como se fossem ondas do Oceano do Extremo Oeste.

Eu gostava do jeito como Jez conseguia pintar uma imagem com as palavras. Ouvi atentamente, molhando o pão no caldo do feijão.

— Se você sentar bem ali naquele cume — continuou ela — e fechar os olhos com o vento soprando no seu rosto, poderá se imaginar em qualquer lugar: no Bosque do Oeste, em Desolação ou outro lugar. Não é como a Fenda Mortal, aquela cidade subterrânea. Você se sente sufocar como se estivesse sendo enforcado.

Passei a mão pela garganta. Tenho certeza de que senti um aperto ali quando o rosto feio de Noose passou pela minha cabeça.

— É para lá que vou.

— Como eu disse, você seria muito inteligente se evitasse essa cidade. A Fenda Mortal é um lugar de gente má.

— Eu não vou ficar lá, só tenho que tratar de alguns negócios.

— Que tipo de negócios?

— Sou um caçador de recompensas!

Ela me olhou de cima a baixo.

—Tipo um matador de aluguel? — perguntou ela, segurando o riso. — Caraca, você espera que eu acredite nisso?

— Não dou a mínima se você acredita ou não.

— Com certeza, você não se parece nadinha com um matador de aluguel.

— Eu disse que sou um *caçador de recompensas*. Não planejo matar ninguém. De qualquer forma, como você acha que um caçador de recompensas deve ser?

— Para começar, acho que não deve ser uma criança.

— Não sou criança, já tenho quase catorze anos.

— Bem, então você deveria ter um revólver. Todos os matadores de aluguel têm uma arma ou até mais de uma.

Enfiei a mão na bolsa, notando que Jez deu um salto para trás e levou a mão a uma faca com cabo de osso presa ao seu cinto.

— Os elfos não usam revólveres para resolver as coisas — respondi. — E, às vezes, uma arma de fogo não é a melhor opção. Elas chamam atenção desnecessária.

Jez sorriu.

—Ah, sei.

Peguei a zarabatana.

— Esta é a minha arma.

— Uau! É linda. — Jez a examinou, passando os dedos rechonchudos sobre a madeira entalhada. — Quem você está procurando?

— Um troll barriga de serpente chamado Noose Wormworx. Já ouviu falar dele?

— Não. Foi ele que matou seu pai?

— Foi.

— Muito corajoso da sua parte ir atrás dele. Ainda mais um troll barriga de serpente. Meu pai disse que eles são as criaturas mais cruéis e malignas de toda a Rochoeste. Disse também que só existe um tipo de troll barriga de serpente bom: os mortos.

— E meu pai costumava dizer que os anões das pradarias são as criaturas mais gentis e trabalhadoras de Desolação.

— Acho que seu pai era um homem muito inteligente.

— Era mesmo.

Peguei a torta que vovó assara para o tio Lobo Louco e a dividi com Jez. Senti-me um pouco culpado, pois ela me lembrava da mentira que eu havia contado para Yenene, ao dizer que iria pescar, e segui para o caminho oposto. Jez devorou sua parte, dizendo que era a melhor torta que já comera na vida. Eu disse que ela poderia ficar com o que sobrara, pois eu achava que ela não comia torta havia muito tempo.

Quando terminei, notei que escurecia e me levantei.

— Bem, acho melhor irmos agora, antes que fique escuro demais para voarmos.

— Se quiserem ficar, serão muito bem-vindos — convidou Jez. — Tenho cobertores o suficiente. Preciso ir trabalhar um pouco, mas logo estarei de volta.

— Obrigada, mas é melhor partirmos. Talvez nos encontremos de novo quando estivermos a caminho de casa. — Lancei um olhar para além dos cumes. — A Fenda Mortal fica longe?

— Não muito — respondeu Jez. — Você verá o túnel do Olho Morto depois da curva na parede rochosa, a entrada para a Fenda Mortal fica pertinho dali.

— Obrigado pelo feijão.

— Não há de quê. Talvez eu o veja de novo fugindo dos caudas de chicote — riu ela. — Oh, muito obrigada pela torta.

Montando em Raio Lunar, galopei até a beirada da rocha e mergulhei no céu aberto. Quando olhei de volta, vi a pequena coluna de fumaça se erguendo no ar e Jez acenando, animada. Erguendo o meu chapéu, acenei de volta.

CAPÍTULO SEIS

★

O fantasma do Cavaleiro Celeste

Voamos até a parede rochosa, a crina pálida de Luna ao sabor do vento. Seguimos atentamente as instruções de Jez até pousarmos perto da entrada de um túnel. Havia uma placa sobre a entrada:

Desaparecendo na passagem obscura, notei que um caminho estreito e sujo de cascalho seguia paralelo aos trilhos do trem com largura suficiente para um homem a cavalo, ou um garoto a cavalo. Perguntei-me se ficaríamos totalmente no escuro por todo o caminho até a Fenda Mortal. Além disso, eu também tinha de me preocupar com o Expresso e as consequências de seguir próximo demais dos trilhos.

— O que é aquela luz ali na frente? — perguntou Raio Lunar.

— Parece um enxame de vaga-lumes — respondi, notando um brilho arroxeado misterioso.

Aproximamo-nos de tal brilho e descobri que não eram vaga-lumes. A luz emanava de grandes troncos de árvore, como galhos, saindo das paredes em intervalos irregulares. Sombras menores dançavam em volta de cada galho e, apertando os olhos, percebi que as sombras eram de criaturas semelhantes a mariposas, obviamente atraídas pela luz.

— O que são essas coisas? — perguntou Raio Lunar.

— Madeira fluorescente — expliquei. — Aprendemos sobre isso na escola. Galhos de madeira fluorescente do Bosque do Oeste. Quando arrancada de seu tronco, a madeira emite um brilho lúgubre, com iluminação suficiente para trolls e goblins. Mas não é muito vista nas cidades lá de cima.

— Só vejo madeira brilhando quando está em brasa.

— Esse é o lance, sabe? Você pode pegar um fósforo aceso e segurá-lo sob um galho de madeira fluorescente o dia todo se quiser, mas ele nunca pegará fogo.

Seguimos em silêncio por um tempo, os cascos de Raio Lunar ecoando no túnel escuro e comprido.

— Precisamos falar sobre estratégia — declarei depois de um tempo. — Sabe? Para quando chegarmos à Fenda Mortal.

— Ótimo... Hum... Mas que estratégia?

— Tipo como vamos lidar com as coisas. — Tirei o pôster com a cara de Noose e, parando sob um galho de madeira fluorescente, inclinei-me para a frente e coloquei o cartaz do lado do rosto dela. — Primeiro quero que olhe com bastante atenção para

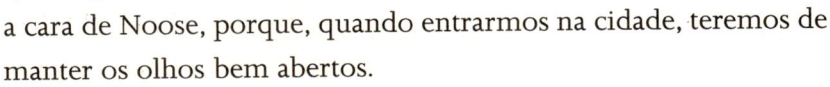

a cara de Noose, porque, quando entrarmos na cidade, teremos de manter os olhos bem abertos.

— Quatro olhos são melhor do que dois, não é? — disse Raio Lunar; depois, piscou. — Argh! Acho que nunca vou esquecer essa cara feia.

— Também gostaria muito que você ficasse comigo o tempo todo e não saísse vagando por aí. Acho que as coisas ficarão bem obscuras. Olha só, e nada de papo entre criaturas a não ser que eu diga que está tudo bem, combinado?

Raio Lunar balançou o rabo.

— Não se preocupe. Pode contar comigo. Não vou decepcioná-lo.

— Não estou reclamando, Luna. Eu só tenho de definir algumas regras antes de começarmos a caçada propriamente dita. Não sabemos o que encontraremos pela frente e talvez não tenhamos outra chance de conversar sobre essas coisas.

As orelhas de Raio Lunar tremeram.

— Ouço algo. Acho que o Expresso está se aproximando.

Grudamos na parede do túnel e, momentos depois, o Expresso passou por nós. O barulho ensurdecedor parecia muito mais alto no espaço confinado e fazia minhas entranhas vibrarem. Mal me atrevendo a respirar, agarrei-me ao pescoço de Raio Lunar, sentindo a tensão dos seus músculos e o cheiro familiar de seu suor. Segundos depois, o último vagão passou como um borrão de tinta vermelha e o Expresso se foi, deixando para trás vestígios de vapor.

Logo em seguida, o túnel se alargou e uma grande caverna se desdobrou diante de nós, iluminada por galhos de madeira fluorescente, embora, em vez do brilho arroxeado comum, esses galhos emitissem um tom esverdeado. A princípio, achei que havíamos chegado à Fenda Mortal, mas então me dei conta de que o lugar era muito pequeno e que não havia prédios. Examinando as paredes da caverna, descobri que chegáramos a um cemitério subterrâneo, que consistia em passagens talhadas na rocha com espaços e recessos que levavam a câmaras funerárias.

— Que lugar é este? — perguntou Raio Lunar.

— Uma catacumba — informei.

— Uma cata... cata... o quê?

— Um cemitério.

Notei que alguns dos espaços tinham inscrições gravadas na rocha, mas eu não conseguia ler na penumbra. Alguns dos galhos de madeira fluorescente foram colocados mais baixos na parede da caverna e arranquei um de sua cavidade. Então, desmontando, aproximei-o das inscrições e li em voz alta, com um sorriso se abrindo no meu rosto:

João Grandão

Aqui jaz
João Tagarela
de papo rápido
e gatilho lento

— Não tem graça. Este lugar me dá arrepios — declarou Raio Lunar. — Como saímos daqui?

Mas a minha curiosidade levou a melhor e eu continuava caminhando por entre as fileiras de túmulos, lendo as inscrições:

Velho Axle

aqui jaz
Ezequiel Axle

202 anos
Os bons morrem
jovens

Raio Lunar trotou até o final da caverna.

— Vamos logo, realmente acho que temos de ir. Quero sair deste túnel antes que o trem volte.

— Você não está com medo, está, Luna? — debochei. Notei algumas ferramentas apoiadas ao lado de um túmulo recém-talhado. Não havia qualquer inscrição. — Acho que há um novo túmulo aqui. Pergunto-me quem é o pobre azarado que será enterrado aqui.

— Desde que não seja nenhum de nós...

Senti algo passando pelo meu pé e baixei o galho. Ratos da terra. E, diga-se de passagem, uma família bem robusta.

Raio Lunar estava olhando para o teto da caverna.

— Você viu aquilo?

Aproximei-me dela.

— Vi o quê?

— Tenho certeza de que vi... Não. Não é possível.

— O quê? Viu o quê?

— Aquela estaca de rocha pontuda. Acho que ela acabou de se mexer.

— Uma estalactite. Qual delas?

— Aquela grandona no meio. Só que, da última vez que vi, ela estava bem ali e agora está...

— Devem ser morcegos ou talvez os seus olhos estejam enxergando demais.

Raio Lunar piscou repetidas vezes.

— Talvez.

Enquanto olhávamos para o teto da caverna, uma estalactite se soltou e caiu no chão.

— Estalactites são fixas e sólidas, não caem. — Aproximei-me, e o que vi me causou um frio na barriga. A estalactite estava viva. Zunindo, feliz, enquanto uma fileira de dentes pequenos e afiados devorava a carne fresca do rato mais gordo que, alguns segundos antes, passara pelo meu pé. Senti a bile subir pela garganta.

— Cuidado! — exclamou Raio Lunar quando outra dessas criaturas caiu, quase acertando o meu ombro, para se contorcer no chão com a boca aberta até emitir uma reclamação gutural e rastejar para o fim do túnel.

— O que são essas coisas? — ofegou Raio Lunar.

— Estalacas — disse uma voz. — É melhor ficar atento; se uma pegar você, já era. Elas arrancam a carne do seu lombo em uma questão de segundos.

Virei-me e vi a figura sombria de um cowboy sentado em uma pedra no meio dos túmulos.

— Qu... quem é você?

— Permita que eu me apresente. — O cowboy tirou o chapéu e, quando o fez, sua cabeça balançou, de forma horripilante, sobre seus ombros. Depois de algumas balançadas, ela se soltou

completamente do pescoço e rolou pelo braço esticado, até que ele pegou os cabelos grisalhos com a mão.

— Sou Henk Holdem Sem Cabeça, mas, se quiser, pode me chamar só de Henk. Muito obrigado.

Ele riu.

Senti o sangue descer do meu rosto. Por um momento terrível, não sabia do que eu tinha mais medo, das criaturas repulsivas ou do estranho fantasma.

— O que... você é? Não dá para ver bem. Parece que, quando você se mexe, posso enxergar através do seu corpo.

—Você está me vendo bem o suficiente — riu Henk. — Acho que depois de cem anos de morte não dá para ficar melhor do que isto. — Ele olhou para Raio Lunar, que parecia ainda mais branca. —Você tem um lindo cavalo, garoto.

— Ela é uma égua alada.

— Estou morto, mas não sou cego. Dá para ver isso. E uma puro-sangue, pelo jeito.

Acenei, e Raio Lunar ergueu a cabeça, orgulhosa.

— Perdoe-me por perguntar, mas o que você está bisbilhotando por aqui?

— Não estou bisbilhotando — respondi. — Estou a caminho da Fenda Mortal.

— Bem, você está no caminho certo, embora, pensando bem, eu ache que esse caminho poderá acabar sendo o errado para você. O que quero dizer é que esse não é um bom lugar para um jovem cowboy como você.

—Você é... Você é um espírito? — perguntei, hesitante.

— Ora bolas, claro que não. Embora eu desejasse ser — arfou o fantasma. — Agradeço o elogio, mas temo que o título esteja um pouco além do velho Henk. — Ele suspirou, olhando para cima, onde eu tinha certeza de ter visto outra estalaca se aproximando. — Só as pessoas boas chegam até lá em cima. Não, temo que eu seja apenas um fantasma errante comum, um fora da lei do mundo dos espíritos, se preferir. E você? Qual é o seu nome, companheiro?

— Will.

— Prazer em conhecê-lo, Will.

— Eu nunca tinha visto um fantasma — declarei, estremecendo.

— A maioria das pessoas não viu. Todo mundo anda ocupado demais para nos notar. É claro que também tentamos ficar fora do caminho.

— É por isso que você está aqui embaixo?

— Acho que sim. A Fenda Mortal é o meu lugar assombrado preferido, se me permite dizer.

Ri. Acho que Henk devia ser o fantasma menos assustador que eu poderia encontrar. Raio Lunar me cutucou com o nariz, sinalizando que eu deveria continuar o caminho, mas, curioso, perguntei:

— Qual desses túmulos é o seu?

— Venha, eu lhe mostro — riu Henk. — Basta seguir as teias de aranhas. Estou na parte mais antiga do cemitério.

Segui Henk dobrando uma curva sombria, e ele apontou para a pequena lápide. Ergui o galho de madeira fluorescente e o aproximei da inscrição.

Henk Holdem

Jogando pôquer
O Velho Henk viu
vermelho
Perdeu a camisa
Depois, a cabeça.

— O que significa?

— Aconteceu há mais de cem anos. — Ele passou o dedo pelo pescoço. — Um dia que nunca esquecerei, é claro.

Engoli em seco.

— É claro.

— Não que um canalha como eu merecesse um final melhor. É só que foi muito repentino. — Henk riu; então, sua expressão se tornou solene. — Antigamente, jogos de apostas eram proibidos. Ora, se o xerife pegasse alguém jogando uma moeda no ar, poderia prendê-lo. É claro que os jogos de apostas continuavam, só que em lugares onde a cavalaria celeste não pudesse ver. Sim, o pôquer cobreiro começou a ser jogado no subterrâneo. Não demorei muito para encontrar um jogo vertiginoso a bordo de um velho trem chamado *Expresso Minerópolis*.

Ofeguei. Papai me levara para ver aquele trem no museu de Minerópolis.

Henk continuou:

— Um grupo de cerca de dez homens e alguns goblins se encontrava quando podíamos e jogávamos o dia inteiro, enquanto o trem cruzava a Grande Rochoeste. Até que perdêssemos ou desmaiássemos de tanto beber uísque Bafo Bafudo. Tudo estava lindo e maravilhoso até que, um dia, esse velho nervosinho aqui se meteu em uma briga, acusando um homem enorme e bobão de estar roubando no jogo. Em questão de segundos, a mesa foi derrubada e estávamos atracados no chão do vagão, trocando socos; então...

Ele fez uma pausa. Um apito distante soou na escuridão do túnel. Eu estava envolvido na história.

— E então?

— Então, as coisas ficaram feias. O homenzarrão veio para cima de mim e seu rosto parecia um trovão. Nunca tinha visto ninguém tão zangado assim. Sabia que ele estava levando tudo a sério. Joguei uma cadeira nele e corri, subindo por uma escada até o topo do trem. É claro que ele veio atrás de mim.

Henk, de repente, começou a flutuar pelas catacumbas, voltando para o túnel. Ouvi o barulho distante do Expresso.

— O grande bobão e eu corremos sobre os vagões. A essa altura, eu já tinha conseguido pegar a minha pistola blaster de seis rotações e nos enfrentamos em um duelo. O vento soprava como agora, só que, naquela época, eu podia senti-lo no meu rosto. Parece que ficamos congelados naquela posição por séculos. Com as mentes anuviadas de uísque, nenhum de nós movia um músculo para apertar o gatilho. Então, a expressão do rosto do bobão mudou: ele ficou um pouco mais corado como se tivesse tomado uma decisão e talvez não quisesse mais estar ali no topo do trem. Quanto a mim, eu era teimoso demais e continuei encarando-o. Então, ele gritou "Olha o túnel!", e eu pensei: *Não vou cair nesse velho truque. Se eu virar a minha cabeça, ele vai cravar minha barriga de balas.* Por isso continuei encarando, até que o horror nos olhos dele me disse que ele não estava mentindo.

Enquanto Henk falava, o Expresso de repente apareceu na escuridão. Segurei-me para não gritar e avisar Henk, que ainda estava sobre os trilhos, mas me dei conta de que o trem não podia feri-lo. Observei, boquiaberto, enquanto a imagem fantasmagórica de Henk era atravessada pelo metal frio do Expresso.

Henk permaneceu fora de vista até o trem desaparecer. Então, ainda segurando a cabeça, com os olhos fechados e expressão séria no rosto, ele flutuou até mim e disse:

— O túnel arrancou a minha cabeça e foi o fim. Quando me levantei, era um fantasma. O bobão estava de joelhos, choramingando como um bebê enquanto a minha cabeça rolava pelo vagão.

Senti o coração disparar ao ouvir a história triste. Fechei a boca que ficara aberta de espanto enquanto ouvia a história. Engoli em seco.

— Acho que essa foi a história mais horrível que já ouvi na vida.

—Terrível! Terrível! — gritou Henk, com os olhos arregalados. — Terrível! — Ele jogou a cabeça para cima, gritando, enquanto ela girava no ar. — Pois eu lhe digo o mais terrível da história... Eu tinha um flush cobreiro na mesa daquele vagão...

Olhei ao redor da caverna sombria.

— Então, você está preso aqui para sempre?

Henk riu.

— Nós, fantasmas, temos teorias diferentes para isso. Um colega meu, o Jake, acha que estamos presos aqui como uma punição por algo que fizemos de errado quando estávamos vivos, então, teremos de ficar aqui para sempre. Mas é claro que esse camarada sempre vê o lado negativo das coisas.

— E o que *você* acha?

— Ah, eu sou mais positivo. Acho que estamos aqui porque ainda temos de fazer alguma coisa para ganharmos nossa passagem para ir lá para cima. Algo de bom para compensar as coisas mesquinhas, sabe? — Ele fez uma careta e depois sorriu.

— Como uma segunda chance?

— Tipo isso.

Raio Lunar saiu da escuridão e eu peguei suas rédeas.

— Foi bom conversar com você, mas acho melhor irmos agora.

— O que o traz à Fenda Mortal?

— Tenho negócios a tratar com um troll barriga de serpente chamado Noose Wormworx. Acho que você não deve ter ouvido falar dele ou, quem sabe, onde eu posso encontrá-lo, não é?

O velho fantasma negou com a cabeça.

— Sinto muito, mas boa sorte. E tome conta do seu cavalo.

— Pode deixar. Adeus!

CAPÍTULO SETE

★

Fenda Mortal

C avalgamos o restante do caminho para Fenda Mortal em silêncio, seguindo o trilho do trem. Meus pensamentos estavam em Henk e nas estalacas repulsivas. Se Yenene tivesse me contado da existência de tais criaturas, eu não teria acreditado, isso para não dizer que teria pesadelos horripilantes com elas. Perguntei-me que outras criaturas malignas poderiam existir nas entranhas da Rocha Central.

Passamos por uma sucessão de cavernas menores decoradas com desenhos de giz de lobos palito de dente e de ursos até que, por fim, chegamos à caverna principal: um lugar enorme encimado por estalactites maiores e mais ameaçadoras, como adagas afiadas suspensas. Algumas pareciam prestes a cair a qualquer momento, cravando-se no coração da cidade mal-iluminada abaixo.

Enquanto eu olhava, senti um frio na espinha, imaginando o massacre se existissem estalacas tão grandes quanto aquelas estalactites.

A cidade se formara aos pés de uma das paredes da caverna que se erguia, inclinada, dando vista para um mar de estalactites e trilhos entrelaçados do trem. Consistia em construções altas e estreitas de madeira, construídas umas próximas das outras como tubos de um órgão: havia uma taberna, uma venda local, um armeiro, um banco e o Hotel Fenda Mortal. Havia centenas de galhos de madeira fluorescente iluminando a cidade e banhando a caverna com um brilho roxo e macabro. Observei por um longo tempo, impressionado pela visão estranha. Parecia um lugar assustadoramente mágico. Uma cidade que eu nunca teria conseguido imaginar, nem nos meus sonhos mais loucos.

Meu nariz foi tomado por uma invasão de odores enquanto nos aproximávamos. Umidade, mofo, fumaça na maior parte do tempo, mas, às vezes, misturados com cheiros ligeiramente familiares de pão assado ou salsichas fritas.

— Chegamos, Luna. Bem-vinda à Fenda Mortal.

— Este lugar é mais assustador do que o cemitério — respondeu ela.

Trotamos pelo terreno rochoso, passamos pela plataforma de trem da Fenda Mortal e por uma estrada estreita em direção à cidade superlotada. Levantei a gola da camisa tentando passar despercebido por entre a população formada principalmente de trolls, embora eu tenha visto alguns goblins riso solto saindo da taberna e um ogro ferreiro desajeitado. Senti um arrepio descer pela minha espinha e os pelos da minha nuca se eriçarem quando me dei conta de que *Noose estava ali*. Era quase mágico como eu conseguia sentir a presença dele. Talvez eu fosse mais elfo do que imaginava.

— Pão! Compre um pão bem fresquinho!

Olhei em volta e vi um anão gordo na porta de uma loja. Sua pele era como a do tronco de uma árvore, e ele usava um avental branco. Jez me dissera que era raro ver anões na Fenda Mortal. Ela havia me contado que alguns deles faziam a viagem diária de Desolação até a Fenda Mortal, preferindo morar nas planícies sob o céu aberto do que nas entranhas escuras da Rocha Central.

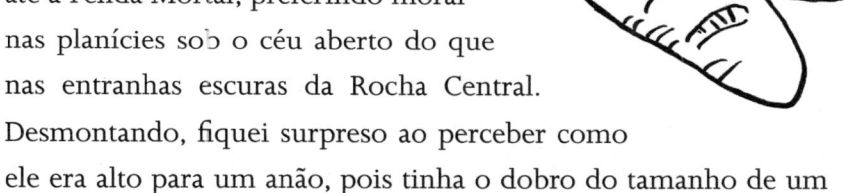

Desmontando, fiquei surpreso ao perceber como ele era alto para um anão, pois tinha o dobro do tamanho de um anão normal.

Ele me ofereceu um pedaço de pão.

— Está com fome, companheiro? Acabou de chegar à Fenda Mortal. Tenho algo para o seu lindo cavalo também. Acho que vocês dois poderiam comer algo.

Raio Lunar alargou as narinas, sentindo o cheiro do pão saboroso.

— Tenho negócios a tratar com um troll chamado Noose Wormworx. Sabe se ele está na cidade?

O anão padeiro olhou para mim de cima a baixo com seus olhos pretos.

— Wormwax — repetiu ele, pronunciando o nome errado. — Nunca ouvi falar. Você quer comprar pão? Acabei de assar.

O cheiro estava delicioso, mas eu precisava racionar o pouco dinheiro que tinha. Lambendo os lábios, apontei para os dois

menores pedaços e coloquei uma moeda na mão enverrugada do
anão.

— Obrigado.

Enquanto eu me afastava com Raio Lunar, o anão me chamou.

— Já tentou a taberna?

— Ainda não — respondi.

— Se eu estivesse procurando por alguém, eu começaria
por lá. Isto é, se você conseguir entrar. Eles não gostam muito de
crianças.

— Vou ficar com o meu capuz.

— Você vai precisar mais do que um capuz. Fique ligado o
tempo todo. Os tiroteios acontecem a cada cinco minutos naquele
antro.

Até agora, a hospitalidade na Fenda Mortal parecia normal.
A maioria das pessoas pintava um quadro muito negro da cidade
subterrânea, dizendo que se tratava de um buraco povoado por
trolls gângsteres — mas será que era mesmo? Ali estava um padeiro
anão, ocupando-se de um trabalho honesto para viver — além
disso, o pão estava delicioso. Achei que se os diferentes povos da
Rochoeste pudessem parar de julgar uns aos outros, então o futuro
poderia ser bem melhor para todos nós.

Caminhamos pela rua poeirenta e passamos pela venda local.
Um homem velho e magro de aparência elfa, vestido de negro dos
pés à cabeça, carregava algumas pranchas de madeira pela porta
da frente. As janelas estavam abertas e dava para ouvir o som de
marteladas lá dentro.

Quando nos aproximamos da taberna, notei que a luz arroxeada brilhando pela janela parecia mais forte do que o padrão da Fenda Mortal. Amarrei Raio Lunar em uma barra de ferro.

— Mantenha os olhos bem abertos, Luna, e relinche bem alto se vir algo, ouviu?

Raio Lunar concordou com a cabeça.

—Tenha cuidado. Você ouviu o que o anão disse.

Parei do lado de fora, reunindo coragem para entrar, quando as portas da taberna se abriram com um estrondo e dois corpos atracados em uma briga saíram e caíram no chão sujo da rua. Os chapéus rolaram com eles. Punhos e poeira voavam para todos os lados enquanto alguns curiosos se juntavam para assistir. Usei a distração para me esgueirar sob a porta vaivém.

A primeira coisa que notei quando meus olhos se ajustaram à atmosfera clara e enfumaçada foi uma mesa de pôquer virada e três trolls ajoelhados catando o dinheiro espalhado pelo chão como ratos da terra. Acho que o pôquer cobreiro deveria vir com um aviso do xerife de perigo à saúde.

Respirei fundo e me engasguei com a fumaça. Caminhei até o bar. Um troll gigantesco, com braços grossos como o tronco de uma árvore, rosto vermelho e inchado e narinas abertas, fixou o olhar em mim.

— Não vou servir você, garoto — rosnou ele.

Notei algo se remexer sob a camisa dele. Será que ele era um troll barriga de serpente? Provavelmente. Slugmarsh e Jez disseram que a Fenda Mortal estava cheia deles. Senti um frio descer pelo meu pescoço quando pensei nas serpentes medonhas e gosmentas se retorcendo sob a camisa dele.

— Não quero beber nada — expliquei. — Só preciso de algumas informações.

O atendente do bar bufou, serviu uma dose de uísque Bafo Bafudo e escorregou o copo pelo balcão. Como uma bala, uma mão verde de três dedos se abriu e agarrou o copo, colocando uma moeda no balcão.

—Tenho uma encomenda para Noose Wormworx. Sabe onde posso encontrá-lo?

O troll serviu outra dose e a bebeu em uma só golada, batendo o copo no balcão ao terminar. Ele arrotou na minha cara.

— Quero que saia agora, garoto!

— Uma pergunta direta merece uma resposta direta.

Uma troll gorda usando um vestido de franjas rosa e batom o suficiente para pintar a parede de um celeiro se inclinou no bar ao meu lado.

— Calma, Punk. Sirva uma bebida ao garoto — disse ela devagar, batendo com o copo vazio na garrafa de uísque Bafo Bafudo.

— O garoto não vai beber nada. Já está de saída.

— De saída? Mas ele acabou de chegar. — Ela me abraçou com o braço forte. — Ele tem de ficar para assistir ao show de dança!

Dei de ombros, sentindo o rosto corar.

— Tudo bem, eu nem gosto muito de dança. — Então, perguntei: — Talvez você saiba onde eu posso encontrar Noose Wormworx?

— Wormworx? Que nome pomposo. Parece de um cara rico — respondeu ela. — Ele é bonito? Estou à procura de um homem rico e bonito para me levar para bem longe daqui. Na verdade, pode até riscar o quesito beleza. Não sou tão exigente assim; desde que seja rico, está tudo bem.

— Ele é um fora da lei e assassino de sangue frio.

Ela se virou, afastando-se na direção do palco.

— Já tive minha quota do tipo. Tenho de ir. O palco me chama.

De repente, as portas da taberna se abriram e a música do piano parou abruptamente.

Um troll barriga de serpente com cara de mau e com o nariz sangrando estava de pé, segurando as portas vaivém. Reconheci-o da briga na rua. O lábio dele se contraiu e ele lançou um olhar de raiva na direção da mesa de pôquer.

De repente, fui puxado para trás e para cima e jogado por cima do balcão. Só quando eu estava lá embaixo é que me dei conta de que o atendente me puxara e agora estava agachado ao meu lado com um olhar estranho e desinteressado. Segundos depois, o som ensurdecedor de tiros explodiu na taberna. Olhei por uma fenda no balcão de madeira e vi a mesa de pôquer rolar para o lado e o cano de um revólver aparecer e atirar no troll, que cambaleou na porta, agarrando a barriga e caindo. Seguiu-se um longo silêncio. Prendi a respiração, sem tirar os olhos da fresta. Notei que a porta da taberna se abriu e o coveiro elfo entrou, arrastando os pés e se agachando ao lado do corpo. Tirou do bolso o que pareceu ser uma fita métrica e começou a medir o atirador desafortunado. Quando terminou, arrastou o troll pelas pernas, retirando-o do estabelecimento enquanto balançava a cabeça.

O atendente do bar se levantou e ergueu a tábua do balcão.

— Saia ou terei de colocá-lo para fora.

Não hesitei. Contornei o balcão, mas senti uma ossuda mão me agarrar quando tentei sair.

— Não pude deixar de ouvir — disse um troll velho fumando um cachimbo retorcido. Parecia bêbado e não parava de piscar, como se estivesse tentando focar o olhar injetado de sangue.

— Mas eu sei onde você pode encontrar esse tal de Noose. — Ele bateu com um dedo no nariz roxo. — Se estiver interessado. Só que informações aqui nessas bandas não são baratas.

Remexi na minha bolsa.

— Não tenho muito, mas gostaria muito da sua ajuda.

Coloquei uma moeda na palma da mão enrugada do troll. Ele a mordeu com força com um dente preto. Olhou para os dois lados e fez um sinal para que eu me aproximasse.

— Passei por ele na fronteira da cidade hoje à noite — sussurrou.

— A fronteira de que lado?

— Próximo ao hotel, onde a estrada se estreita. Ele estava com um bando de zés-ninguém.

Reprimi uma tossida ao sentir o fedor das roupas imundas do velho troll. Então, tocando no chapéu, atravessei a taberna com chão coberto de cacos de vidro.

Na rua, Raio Lunar discutia acaloradamente com um garanhão negro sem asas.

— Cheiro engraçado, é? Bem, agora eu sei que você é de outra cidade — rosnou o garanhão.

— É claro que não sou desta cidade — sibilou Raio Lunar.

— Você tem alguma coisa contra esta cidade? Porque, se tiver, posso dar um jeito de você sair daqui rapidinho!

— Ah, é? Você vai me obrigar a sair? Tenho de avisá-lo que meu pai era da cavalaria celeste, sabia?

— Já chega, Luna — intervim, rapidamente, desamarrando as rédeas e levando-a para a rua.

— Não podemos nos envolver em brigas — reclamei. —Você esqueceu a nossa estratégia?

— Foi ele que começou — defendeu-se ela.

— Temos de ser discretos aqui na cidade. Não podemos chamar atenção. Agora, vamos.

Raio Lunar concordou, embora eu tenha visto quando ela balançou o rabo na direção do garanhão.

— Para onde nós vamos? — perguntou ela.

— Um velho troll fedorento me disse lá na taberna que viu Noose na fronteira da cidade.

Montei e seguimos pela rua sombria, apertando os olhos para ler as placas nos diversos prédios e observando todos os trolls para ver se um deles não seria Noose. Ao final de uma fileira de construções, a estrada se estreitou e a iluminação ficou ainda mais fraca.

— O velho troll deve ter se referido a algum lugar bem perto daqui.

Desmontando, caminhei até o meio da rua e quase dei de cara com uma forca enorme de madeira. Senti um bolo se formar na minha garganta quando vi a corda da forca. De repente, entendi. O velho troll me dissera que tinha visto Noose com um bando de zés-ninguém. Bem, ele estava certo. *Noose* significava laço em inglês e aqui estava o laço do carrasco, mas não havia ninguém por perto.

Ele me enganara! Eu deveria estar zangado, mas, olhando para a corda pendurada com seu círculo mortal vazio, não pude evitar rir.

Continuava olhando para a corda, quando ouvi passos pesados, seguidos por uma respiração ofegante se aproximando cada vez mais. Em seguida, fui derrubado e o cano de um rifle estava na minha cara. Era o anão padeiro que eu encontrara antes.

— Você acha que poderia roubar a minha bolsa e fugir com ela? — gritou ele.

— Não atire. Eu não roubei a sua bolsa.

— Mentiroso! Devolva ou será o seu fim.

Rapidamente, concluí que a minha primeira impressão do povo da Fenda Mortal estava equivocada.

O anão cutucou o meu peito com o rifle.

— Vamos, mexa-se, esvazie a bolsa e os bolsos!

— Não fui eu. Juro! — implorei.

Com relincho alto, Raio Lunar andou de lado, arqueando o pescoço para atingir o anão, que virou o rifle para ela.

— Nada de atos heroicos agora, cavalo!

— Luna, afaste-se. Deixe comigo. — Esvaziei o pouco dinheiro que tinha no bolso e o anão pegou.

— Onde está o resto? Abra a bolsa!

Abri.

— Pão é tudo o que tenho. Juro.

— Pode confessar, ladrão. Você escondeu. Seu parasita dos infernos! — E ele acertou a minha cara com a coronha do rifle. Ouvi o barulho de algo se quebrando e senti uma dor forte; depois, tudo ficou preto.

Voltei a mim — não muito depois — e estava deitado no lugar onde o troll me acertara.

— Luna — chamei sem forças, levando a mão à cabeça. Não consegui localizá-la.

Ouvi passos se aproximando e os meus olhos lentamente conseguiram focar em uma figura que se aproximava na escuridão, chegando cada vez mais perto. A figura misteriosa era magra demais para ser o padeiro anão e estendeu a mão tentando agarrar a bolsa que fora jogada ao meu lado. Segurei a alça enquanto ela era erguida no ar. O golpe, porém, minara as minhas forças. Era um jovem troll. Ouvi-o praguejar quando puxou a bolsa.

De repente, eu estava bem acordado. A minha bolsa era tudo o que eu tinha, e era lá que estavam o veneno e a zarabatana. Sem ela, a caçada chegaria ao fim. Eu teria de voltar para Minerópolis e tentar explicar para vovó por que eu não trazia nenhum peixe comigo. Reunindo as forças que me restavam, estiquei o pé na frente dos pés do troll, fazendo com que ele tropeçasse. Uma bolsa de couro caiu do seu casaco com um barulho de dinheiro se espalhando — o dinheiro roubado do padeiro, deduzi. O troll começou a engatinhar pelo chão quando um par de cascos o derrubou.

Prendi-o no chão e peguei a minha bolsa de volta.

— Bom trabalho, Luna. Para onde você foi?

— Aquele padeiro tentou me roubar — disse ela, erguendo o traseiro, orgulhosa. — Até que eu o atirei para fora da minha sela. Quanto maior eles são, maior o tombo!

— Saia de cima de mim, seu elfo imundo — sibilou o estranho. Em seguida, cuspiu na minha cara.

Eu estava cansado de ser insultado, principalmente por um troll que devia ser mais novo do que eu.

— Não acho que sejamos muito diferentes um do outro, a não ser pelo fato de eu não ser um ladrão.

Peguei um dardo na bolsa e encostei no pescoço do troll.

— A ponta está envenenada — blefei. Eu não me encontrava em condições de abrir o pote, mas podia fingir. — O veneno sobe direto para o seu sistema nervoso central, levando você para um final agonizante.

— Por favor. Eu estava com fome... Eu...

— Eu estou com fome também, mas não saio por aí roubando as pessoas.

— Q... Quem é você, estranho?

— Não é da sua conta. Você é daqui?

Trêmulo, o troll assentiu. — Por quê?

— Estou procurando uma pessoa. Um fora da lei chamado Noose Wormworx. Já ouviu falar? — Encostei o dardo com mais força na pele do troll.

— Hã-hã — respondeu ele com os dentes cerrados, temendo que o dardo perfurasse sua pele.

— Não acredito em você. — Eu estava cada vez mais irritado. — Não acredito que ninguém nesta cidade esquecida pelos espíritos nunca tenha ouvido falar de um dos maiores bandidos trolls de toda Rochoeste.

Então, tive uma ideia. Fazendo a cara mais ameaçadora que consegui, ergui o dardo como se eu fosse acabar com a vida do troll naquele momento.

Ele arreganhou as narinas, apavorado.

— Espere!

Lentamente, encostei o dardo no queixo dele.

— Estou ouvindo.

— Juro que nunca ouvi falar de uma criatura chamada Wormworx — arfou ele. — Mas... mas tem um troll barriga de serpente chamado Noose. Ele fica na mina de estanho. Ele me pegou roubando e me deu uma surra até eu ficar todo roxo.

— Como ele é?

— Criatura horrorosa... com um nariz cheio de verrugas. E punhos de pedra. Quebrou o meu nariz.

— E onde fica a mina de estanho?

— Fora da cidade, perto da estação de transporte de mercadorias, mas você não conseguirá chegar lá. Os guardas atiram nos invasores como se estivessem atirando em ratos da terra.

Soltei o meu prisioneiro. Embora talvez ele tivesse contado um monte de mentiras só para salvar a própria pele. No entanto, a história do ladrão era a primeira pista verdadeira que eu tinha e não valia a pena gastar um bom veneno naquele troll.

— Vá embora. Suma daqui!

Segui o troll na escuridão. Então, diminuí o passo, sentindo as pernas cederem sob o meu corpo. Minha cabeça latejava devido ao golpe com a coronha do rifle e eu estava tonto. O chão pareceu tremer e senti como se estivesse afundando. Piscando, olhei em volta para ver se Raio Lunar estava me seguindo. Parecia mais escuro ainda, muito escuro. Depois, tudo ficou preto.

CAPÍTULO OITO

★

Pôquer cobreiro

Will! Wiiiiilll!

Agarrei o peixe pelo rabo, enquanto ele dançava no anzol. Quem estava ali? Ninguém morava ali, não naquela imensidão.

— Will, você está me ouvindo?

Gritei do outro lado do rio.

— Vou ficar com este para vovó. — Abri os olhos. Havia um rosto pairando sobre o meu.

— O que você vai levar para a sua avó? — perguntou o rosto.

Lutei para manter o foco. Uma tarefa muito difícil, considerando-se que o rosto era uma aparição. O rosto era de Henk.

— O que aconteceu com você? Você estava frio, dormiu até durante o pedremoto.

Dei-me conta de que ainda estava deitado na rua estreita, na fronteira da cidade. E que o peixe era apenas a minha bolsa.

— Caso de identidade trocada — disse eu. — Onde está o meu cavalo?

— Ela está bem aqui. Quem bateu em você?

— Um anão gordo me bateu com a coronha do rifle, embora parecesse mais o Expresso a todo vapor.

— Então é isso que você chama de negócios? Sabe que estou achando você cada vez mais interessante?

Lancei um olhar furioso para ele.

—Tive um pequeno contratempo.

Trêmulo, eu me levantei, passei a alça da bolsa sobre o ombro e coloquei o chapéu. Olhei em volta e vi que uma das construções na fronteira da cidade fora totalmente derrubada pelo pedremoto durante o qual eu dormira e que um grupo de trolls estava puxando uma figura gemendo dos escombros.

— Cuidado aí, você está vacilante como um potro recém-nascido. — Henk coçou a barbicha branca sob seu queixo. —Tem certeza de que não está com problemas? Porque eu ficaria...

— Não é nada que eu não possa resolver.

Aproximei-me de Raio Lunar e acariciei seu focinho.

Ela baixou a cabeça e falou baixinho:

— Você está bem? — Mas eu coloquei um dedo sobre seus lábios.

— Não precisa silenciá-la. Papo entre criaturas não me incomoda. Não entendo por que tanto barulho por isso. Além do mais, enquanto você estava vendo estrelas, Raio Lunar e eu tivemos tempo de nos conhecermos melhor.

—Você consegue conversar com outras criaturas? — Sorri. — Mas como?

— Também fiquei surpreso quando descobri há alguns anos. Acho que é porque sou fantasma, sabe? Esse lance nos deixa mais em sintonia com a natureza, principalmente com os animais. Parece que dividimos alguns interesses mútuos, não é mesmo, Raio Lunar?

— Henk foi membro da cavalaria celeste — contou Raio Lunar, animada.

— Por menos de um ano, até que me deram um pé na bunda por estar sempre atrasado para o serviço, isso se eu chegasse a me apresentar — acrescentou ele, baixando tanto a cabeça que ela caiu do seu pescoço. Ele a pegou e a carregou nas mãos. — O maior erro que já cometi na vida e do qual me arrependo até hoje. A cavalaria celeste poderia ter me transformado em um soldado, sem mencionar em um homem, em vez de no canalha que me tornei.

Peguei as rédeas de Raio Lunar e comecei a caminhar pela estrada.

— Para onde vão?

— Para a mina de estanho.

Henk nos seguiu.

— Também estou indo para lá. Vou acompanhá-los. Hoje à noite haverá um grande jogo na estação de transporte de mercadorias da Fenda Mortal. — Ele apontou para o prédio velho atrás de uma pequena plataforma do outro lado da cidade.

— Jogo?

— Pôquer cobreiro. Alguns fantasmas amigos meus dos velhos tempos. — Ele riu. — Morro de vontade de jogar, se é que me permite a piadinha infame.

O jogo de pôquer cobreiro que eu vira na taberna e o tiroteio voltaram à minha cabeça — com certeza pôquer cobreiro era um jogo mortal.

— Então, você não está me seguindo? — perguntei.

Henk pareceu ofendido.

— Seguindo você? É claro que não. Confesso que fiquei um pouquinho preocupado, principalmente porque ora você está vagando por cemitérios ora brigando com anões. — Ele retorceu as mãos. — Não. Uma vez por mês, os rapazes se encontram para um jogo de pôquer cobreiro. Você é bem-vindo para participar. — Ele apontou para o meu olho roxo. — É mais seguro fora da cidade e você pode amarrar Raio Lunar sem se preocupar de ela ser roubada.

Meneei a cabeça, sentindo-a latejar.

— Não dá, eu tenho...

Henk ergueu as duas mãos.

— Já sei... Negócios.

Mais à frente, a estrada, que, na verdade, era apenas uma parte do chão da caverna, cujas estalagmites haviam sido retiradas, se bifurcava. Um caminho seguia o trilho de trem em direção à estação de transportes de mercadorias, enquanto a outra levava para a mina de estanho bem na saída da Fenda Mortal.

— Acho que vou seguir o meu caminho agora. Tome cuidado e cuide bem da sua linda égua — disse Henk. — Se mudar de ideia, sabe onde me encontrar.

Toquei a aba do chapéu.

— Bem, a gente se vê por aí.

Ansioso, montei Raio Lunar e segui o caminho até a mina.

— Acho que ele meio que apareceu do nada, não é?

— É, ele disse que estava só passando.

— Ele faz muitas perguntas. — Mordi o lábio inferior. — Talvez seja melhor se jogarmos com as cartas mais próximas ao peito.

— Gosto dele.

— Não estou dizendo que não gosto dele. Só que não quero ninguém seguindo a gente por aí.

Conforme nos aproximávamos, vi uma grande placa de madeira acima da entrada escura da mina, onde se lia:

Senti a garganta apertar e engoli em seco. Uma cerca de madeira pontiaguda delimitava o terreno da mina e impedia que eu me aproximasse.

— Que tal cavalgarmos por uma trilha por entre aquelas estalagmites, Luna?

— Será que não podemos apenas voar sobre elas?

— Chamaria muita atenção. Além disso, algumas das estalactites são muito grandes.

Ela bufou.

— Então, tudo bem, vamos apenas torcer para que não tenham dentes.

Saindo do caminho principal, tomamos uma rota precária por entre as estalagmites e pelo chão irregular até um lugar que ficava de frente para a entrada da mina e bem próximo a ela. Um galho grosso de madeira fluorescente colocado em um dos lados da boca da caverna iluminava os arredores; ainda assim, àquela distância da cidade, ainda era muito sombrio.

Dois trolls fortões apareceram e começaram a abrir os portões de ferro encimados por caveiras e envolvidos por arame-farpado, enquanto uma fileira de figuras escuras saía da escuridão.

Trolls mineradores. Curvados e com aparência alquebrada, eles ocupavam a entrada da mina. Nas cabeças achatadas, usavam capacetes. Nas mãos enegrecidas, carregavam picaretas, pás, martelos, cunhas, baldes e lampiões de madeira fluorescente. A maioria deles tossia. Os trolls que abriam os portões gritavam com eles, pedindo que se apressassem.

— Andem logo — ordenou um deles, irritado, estalando o chicote aos pés de um troll robusto.

— Guarde o chicote, Ax, foi um dia longo e difícil.

— E você o está tornando ainda mais longo com a sua moleza, Hegg Grumill; agora, ande logo!

Um troll gordo e chifrudo apareceu levando um cavalo minerador para fora da escuridão, e eu arfei. Era quase impossível reconhecê-lo como cavalo. Não era nada como os cavalos bravios ou alazões do rancho Gallows com os quais eu crescera. A cabeça do cavalo estava curvada, a cara, melancólica, e os olhos, sem vida, como os trolls mineradores. Seus pelos negros e prateados tinham um tom doentio. *Provavelmente devido à má-alimentação*, pensei. Ele puxava uma carroça pesada de minerais que parecia cheia demais para apenas um animal.

Por fim, dois trolls se esforçavam para carregar uma padiola para fora da mina; sobre ela havia um troll deitado de costas e morto. A boca estava aberta e os olhos, esbugalhados, congelados em um olhar de puro terror que fez meu sangue gelar nas veias.

— O fantasma da mina acabou com este, Ax — informou o troll com o chicote.

— Que pena. Ele era um bom trabalhador.

Quando a fila de mineradores se dispersou na penumbra, os trolls troncudos fecharam os portões e ficaram de guarda do lado de fora, com rifles imensos apoiados nos ombros.

Raio Lunar esfolegou e, então, perguntou:

— No que está pensando?

— Acho que não vamos conseguir chegar a qualquer lugar próximo às minas esta noite.

—A Jez não trabalha na mina?

— Estive pensando nisso — respondi. — Entretanto, ela nunca ouviu falar de Noose. Mesmo assim, talvez valha a pena fazer uma visita e ver se ela consegue nos colocar para dentro.

— Vamos.

— Logo ficará escuro demais para voarmos, e a vovó sempre diz que os dragões costumam caçar à noite na ala oeste. Vamos amanhã bem cedinho.

Minha cabeça ainda latejava por causa do golpe que eu levara e então puxei as rédeas, devagar, fazendo Raio Lunar se virar. Pela primeira vez, eu me senti desanimado. Perguntei-me o que poderia fazer. Como eu poderia entrar em um lugar como aquele. E mesmo que, de alguma forma, eu conseguisse, como sairia de lá vivo? Uma coisa era certa: minha caçada terminara naquele dia. O ladrão troll estava certo. A mina era uma fortaleza e os guardas ficariam muito felizes em puxar o gatilho.

Um cansaço repentino desceu sobre mim. Fora um dia longo. Cavalguei devagar pelo caminho para a cidade; eu queria encontrar um lugar seguro para descansar — se é que tal lugar existia na Fenda Mortal. Imaginei que Raio Lunar devia estar tão cansada quanto eu depois da longa viagem desde Minerópolis, embora ela fosse teimosa demais para admitir.

Quando passamos pela estação de transporte de mercadorias, uma luz fraca em uma janela pequena chamou a minha atenção e, curioso, peguei o curto caminho até a plataforma. Dando a volta pelos fundos, desmontei próximo a um canal de água fresca e, enquanto Raio Lunar se refrescava, subi em um barril para espiar pela janela. Para minha surpresa, vi um grupo de figuras barbadas fantasmagóricas, usando chapéus de cowboy, pálidas e cintilantes como Henk, sentadas em volta de uma mesa. Estavam jogando cartas, o que era bastante estranho, considerando que as cartas eram reais e estavam sendo seguradas por dedos irreais e pareciam flutuar sobre a mesa. No centro da mesa, enrolada como um pedaço luminoso de corda verde, havia uma cobra rara e mágica da Rochoeste.

Lá em Riacho da Fênix, eu assistira aos cowboys celestes e ajudantes do rancho jogarem pôquer cobreiro e sabia que, durante o jogo, a cobra era treinada para entrar em um transe místico, olhando em torno da mesa de jogadores com olhos enormes, sondando suas mentes em busca de fraquezas ou o vislumbre de um pensamento. Se a cobra detectasse um blefe, então atacaria, tirando o jogador do jogo.

A cobra pareceu me notar, arqueando o pescoço fino e fixando os olhos amarelos e ameaçadores em mim.

— Para onde ela está olhando? — ouvi um dos jogadores perguntar. O fantasma sentado à sua frente se levantou e caminhou até a janela. Saltando do barril, escondi-me atrás dele assim que a cabeça atravessou a parede da construção e olhou em volta.

— Não estou vendo nada — disse o fantasma, desaparecendo de novo.

Sentei-me na beirada da plataforma elevada, balançando as pernas, enquanto Raio Lunar farejava o chão, tentando encontrar um pouco de mato suculento. Peguei o pôster de Procura-se na bolsa. Minha cabeça doía e a minha visão ficou embaçada. Por um momento, enxerguei dois Nooses no papel. Lancei um olhar para a mina de estanho. Serpentes viviam sob as rochas; então, parecia bastante adequado encontrar um verme como Noose em tal esconderijo.

— Nunca poderia imaginar que você fosse um matador de aluguel — disse uma voz atrás de mim.

— O qu...? — Virei-me e vi Henk espionando sobre o meu ombro. — Você sempre fica bisbilhotando as pessoas?

— Não é isso que os fantasmas fazem? Chegam de mansinho e assustam?

— Então, agora você sabe por que estou aqui. Então, tem certeza de que nunca viu ou ouviu falar dele por aqui?

Henk meneou a cabeça, analisando o pôster.

— Criatura horrenda. O que ele fez?

Respondi entre os dentes:

— Matou meu pai.

— Seu pai? O que aconteceu?

— Ele atirou no meu pai. Meu pai viu Noose e gritou para lhe darem cobertura, mas... Bem, não tinha ninguém para ajudá-lo.

— Sinto muito.

Franzi a sobrancelha.

— Meu pai não pensou. Ele não deveria ter contado com uma cobertura. Deveria ter esperado e acertado Noose quando ele estivesse na mira.

Então, é por isso que estou caçando Noose sozinho.

Henk suspirou.

— O seu pai não errou ao confiar nos outros. Às vezes, não temos tempo para pensar. Tomamos uma decisão e arriscamos. Assumir um risco anda de mãos dadas com a responsabilidade.

Depois de uma pausa, Henk acrescentou:

— Não é da minha conta, mas por quanto tempo você espera ficar na Fenda Mortal andando com um pôster de um fora da lei no bolso?

—Tempo suficiente — respondi, impaciente, enquanto enrolava o pôster.

—Você acha que esse tal de Noose está na mina de estanho?

— Uma pista me trouxe até aqui, mas a mina já está fechada esta noite.

— Acho que é o lugar onde eu me esconderia se estivesse fugindo da justiça. Bem, se precisar de alguém para ajudar na sua busca...

—Você?

— É claro. Por que não? Você poderia ficar mal sem um fantasma para ajudá-lo. Nós podemos observar as pessoas. Isso sem mencionar o fato de que atravessamos as paredes. Também não somos atingidos por tiros.

— Obrigado, mas, como eu disse... trabalho sozinho.

Raio Lunar esfolegou, protestando, até que acrescentei.

— Somos apenas Luna e eu.

— Como queira, garoto, mas a velha Rochoeste é muito grande — disse Henk, pensativo. — E a vida pode ser um longo caminho para se viajar sozinho o tempo todo.

— Prefiro assim.

— Bem, a escolha é sua, mas, pelo menos, livre-se do pôster.

— Como você se livrou da camisa? — perguntei, lembrando-me da inscrição na lápide de Henk.

— Hã?

— E o grande jogo? Por que você não está jogando?

— Ah, eu não lhe contei? Eu só venho assistir.

Enfiei o pôster na bolsa.

— Como assim? Pensei que você amasse pôquer cobreiro.

— Pegue aquele machado ali para mim.

Ergui um machado pesado e o entreguei na mão aberta de Henk. Ele passou direto pela mão, caindo no chão.

— Chame de castigo, e não é menos do que mereço — explicou Henk. —Veja bem, a maior parte dos fantasmas consegue aprender a segurar coisas depois de um tempo, é claro. Eu nem consigo segurar a minha língua.

Segurei o riso, mas Henk trazia um ar solene no olhar.

— E não há nada que possa fazer?

— Tarde demais. Minha vida egoísta é o motivo de eu estar aqui e não posso voltar no tempo. — Henk tremulou sob a luz fraca como se estivesse tremendo, então, ergueu-se. — Venha conhecer os rapazes.

Prendi a franja sob o chapéu.

— Não, obrigado. Tenho de encontrar um lugar para passar a noite.

— Não precisa. Pode ficar aqui. Tem muitos fardos de feno lá dentro e seu cavalo ficará em segurança. Oh, e eu prometo que não vamos incomodá-lo porque nós, fantasmas, não dormimos.

— Acho que eu poderia ficar por aqui até a hora em que a mina abrir — respondi. A verdade era que eu estava exausto e não fazia a menor ideia de onde mais eu poderia ficar. Além disso, seria bom ter companhia, mesmo que estivessem todos mortos. — Eu agradeceria se não contasse a ninguém o motivo por que estou na cidade.

— Dou a minha palavra de honra.

Acariciei o focinho de Raio Lunar e segui Henk até a loja de transporte de mercadorias. Sacos do que pareciam ser grãos estavam estocados lá dentro. Havia uma mesa no meio. Nenhum dos fantasmas ergueu o olhar quando apareci.

Depois de limpar a garganta, Henk me apresentou à turma.

— Rapazes, este é Will, um amigo meu do mundo dos vivos. — Ninguém disse nada. — É um garoto elfo que vive lá em cima, na Rochoeste.

Um fantasma com cara de bife ergueu o olhar e tocou a aba do chapéu.

— Prazer em conhecer.

— Como vai? — perguntou um fantasma tristonho, passando a mão nos cabelos cacheados oleosos e grisalhos.

— Peguei você! Você está blefando! — exclamou um espectro desdentado.

— Você tem de pagar para ver — riu o fantasma, puxando as cartas para mais perto do peito.

— Pago!

Os jogadores mostraram suas cartas e o espectro desdentado esfregou as mãos, satisfeito, esticando o braço e puxando os ganhos para si.

Henk dirigiu-se ao novo vencedor:

— Não vai cumprimentar o garoto, Jake?

Não sei dizer quem sibilou mais alto, Jake ou a cobra.

— Se você não notou, estamos no meio de um jogo de pôquer — falou Jack, cheio de marra. — Então, a não ser que o Grande Espírito tenha lhe concedido o poder de segurar as cartas e você queira jogar, cale a boca!

Henk sorriu.

— Pôquer cobreiro sempre deixa ele nervoso.

Puxei uma caixa e me sentei para assistir ao jogo. Reconheci as moedas velhas que os fantasmas usavam nas apostas. Não eram mais usadas, mas Yenene tinha uma coleção delas em seu quarto e, às vezes, eu as lustrava com um pano embebido em vinagre. Peguei uma moeda no bolso e joguei no meio da mesa.

— Os vivos não podem jogar com a gente — interveio Jake.

Mas eu estava pronto para ele.

— Estou jogando por Henk.

Henk ergueu a sobrancelha e sentou-se em um barril atrás de mim.

— Vocês não têm problema com isso, não é, rapazes?

Os fantasmas menearam a cabeça.

— Nunca vi um garoto como você aqui antes. Está morando na cidade? — perguntou um deles. Percebi que eu havia despertado a curiosidade deles.

— Não. Estou procurando um emprego... na mina de estanho.

Todos os fantasmas me olharam, exceto Jake.

— Você é doido — declarou o espectro de cabelos compridos enquanto dava as cartas. — Jake, você trabalhou para o velho Klondex, não trabalhou?

Jake resmungou.

— Aquela mina não passa de uma armadilha mortal. Faça um favor a si mesmo, garoto, e pegue o primeiro trem para fora daqui logo de manhã.

Arfei.

— Você trabalhou na mina?

— Não na mina de estanho, mas nas mais profundas. As coisas eram bem diferentes naquela época.

— Nunca ouvi falar de minas profundas — respondi.

— Nem poderia. Isso foi há cem anos. Um troll chamado Zeb Klondex era o dono das minas naquela época e não era estanho que arrancávamos da rocha, mas sim ouro. Grandes pepitas, como blocos de queijo da cidade Rocha Central. Até que o Grã-xerife a fechou.

— Por que ele a fechou?

— Por questões geológicas. Algo a ver com o enfraquecimento da rocha. Os mineiros morriam aos montes em avalanches de pedras. E estava ficando cada vez mais difícil encontrar ouro. Acho que não valia a pena perder tantas vidas e ainda correr o risco de toda a ala oeste da Rochoeste despencar em Desolação. Agora podemos voltar ao jogo?

— Não teve um lance de ele não querer ir embora e os homens do Grã-xerife o enterrarem com o ouro? — perguntou Henk.

Jake concordou.

— Dizem que o velho Zeb lutou contra a decisão de fechar a mina até o final amargo. Dizem que ele não podia partir e que não partiu. Toda a mina despencou sobre ele durante um pedremoto enquanto lacravam a mina.

A cobra, de repente, atacou o fantasma de cabelos compridos, e ele jogou suas cartas enquanto os outros gargalhavam.

— Calminha, réptil. Estou fora!

Minha mão não estava boa. Eu tinha um Seis de Balas, um Quatro de Águias e um Nove de Morcegos. Jogo mortífero, como os rancheiros chamavam, já que costumava ser o jogo do blefe e, antigamente, os jogadores usavam cobras venenosas.

Com o rosto sem expressão, joguei duas moedas na mesa.

— Estou dentro. — Mas eu ainda estava pensando em uma coisa. — Como você sabe que não estão tirando ouro de lá agora?

Jake olhou para a cobra.

— Como eu disse, o lugar foi lacrado há mais de cinquenta anos. O Grã-xerife da Rochoeste ordenou aos seus oficiais da mais alta patente na cavalaria celeste a ficar de olho vivo, marcando inspeções regulares e tudo mais. Agora, será que podemos terminar a aula de história e nos concentrarmos no jogo?

Henk sorriu.

— Você só está mordido porque todo esse papo está impedindo a cobra de entrar na mente do garoto.

A cobra ergueu a cabeça na minha direção como se fosse atacar.

— Que os Espíritos nos protejam. Continue falando, garoto — arfou Henk.

Jake lambeu os lábios, sentindo outra vitória se aproximar, quando sugeri, friamente:

— Se não estou enganado, um jogador com o jogo mortífero pode pedir novas cartas uma vez a cada rodada. Regras de Minerópolis.

Um silêncio caiu sobre a mesa. Até a cobra ficou estática.

Henk coçou o queixo.

— É mesmo, garoto. Você está certo.

O fantasma de cabelos compridos concordou com a cabeça.

— O garoto sabe mesmo jogar pôquer cobreiro.

Com o rosto vermelho, Jake apertou os lábios.

— Não jogamos com as regras de Minerópolis.

—Também não jogamos com as regras de Jake — respondeu Henk. — E regras são regras. Não importa a origem.

Morrendo de raiva, Jake colocou as minhas cartas embaixo das outras no baralho e me deu outra mão. Um sorriso se espalhou pelo rosto de Henk enquanto Jake dava as cartas. Dragão de Copas, Cobra de Espadas e um Dragão de Ouros — cartas míticas, bem melhores do que a minha primeira mão, embora, para nos darmos bem, precisássemos de mais. Bati com os dedos sobre as cartas que estavam viradas sobre a mesa e a cobra sibilou, virando-se para encarar Jake. Estava certo de ter visto suor fantasma brotar na testa dele.

Cerrando os dentes, Jake jogou todas as moedas e gritou:

— Eu pago!

Rindo para Henk, mostrei as minhas cartas.

— Casa de Dragões.

Furioso, Jake jogou as cartas na mesa.

— Que tipo de magia é essa que o elfo está usando? Você é um ladrãozinho, garoto, falando sobre as minas, como uma distração, enquanto puxa cartas da manga.

Henk se levantou.

— Retire o que disse, Jake. O garoto venceu na boa.

Inclinei-me para recolher os ganhos, mas parei, sentindo tonteira e um pouco de enjoo. A cabeça latejava, e fiz uma careta.

— Regras de Minerópolis, que nada — reclamou Jake. — Nunca ouvi falar disso.

— Um anão deu um golpe na cabeça do garoto — contou Henk. — Ele não quer ficar ouvindo suas reclamações. Você está fazendo a dor piorar. Está tudo bem, garoto? Você ficou pálido de repente.

— Minha cabeça está explodindo como um tambor de batalha da tribo Repolho Alegre.

— Por que não descansa um pouco? Tem um fardo de palha bem ali no canto.

— Talvez seja melhor mesmo. Mas acho melhor levá-lo lá para fora e dormir com Luna.

Carregando o fardo para o lado de fora onde Luna estava, aconcheguei-me a ela, sentindo seu calor na minha pele. Ela suspirou e me cobriu com uma de suas asas.

— Boa-noite — disse ela.

— É sempre noite na Fenda Mortal — respondi, fraco, retirando as botas. — Embora eu não tenha certeza quanto a noite ser boa...

CAPÍTULO NOVE

★

Espectro da mina

A cordei na manhã seguinte — pelo menos eu achava que era de manhã — e percebi que a minha cabeça melhorara um pouco. O galo tinha diminuído, embora ainda doesse quando eu passava a mão. Raio Lunar já estava bebericando no cocho. Caminhei pela estação de transporte de mercadorias.

A primeira coisa que me chamou a atenção foi o silêncio. Fora a exaustão completa e absoluta que me ajudara a dormir na noite anterior apesar do barulho do jogo de pôquer e do ambiente estranho. Onde estavam todos? Assombrando algum lugar? Imaginei que Henk deveria ter voltado para as catacumbas. Fiquei satisfeito. Isso significava que eu poderia dar continuidade ao meu plano sem confusão.

Havia um pedaço de pão no meu chapéu e eu o devorei, faminto, pensando em Noose. Era só nele que eu pensava ultimamente. Será que naquele dia eu o encontraria na mina? Algo me dizia que eu estava próximo. Separei um pedaço de pão para Raio Lunar e estava procurando pela minha bolsa para guardá-lo quando congelei. Ela havia sumido. Ouvi o apito do Expresso do lado de fora.

Dois homens que trabalhavam na via ferroviária carregavam caixas e barris em um vagão de transporte do trem.

— Bom-dia! Achei que fosse dormir o dia inteiro — cumprimentou Henk do vagão da cozinha. — Estou pegando uma carona para as catacumbas. Venha comigo. Você pode ler mais algumas inscrições nas lápides.

Vendo a minha bolsa em cima de algumas caixas de mercadorias (eu me lembrava de tê-la colocado ali na noite anterior quando a caixa ainda estava dentro do depósito), apressei-me para pegá-la.

— Fica para a próxima, obrigado.

— Deve ter algo muito importante nessa sua bolsa. Você pareceu meio ansioso — riu Henk. Então, com uma piscadela, acrescentou: — Tem certeza de que não precisa de um sócio?

— Tenho de fazer isso sozinho. É melhor. — O vagão começou a se mover e eu me virei. — Obrigado mesmo assim.

— Não há de quê, pequeno xerife suplente. Tenha cuidado. — Henk se despediu. — Oh, eu quase me esqueci. Os rapazes me pediram para agradecer a você. Disseram que a cara de Jake quando viu a Casa de Dragões valia uma grande pepita de ouro. Até o velho Jake conseguiu ver o lado engraçado. Ah, e ele deixou um pedaço de pão para você.

— Por favor, agradeça a ele.

Sorri e caminhei para pegar Raio Lunar.

— Hoje é o nosso grande dia, Luna. Vamos voar até os Picos Rochosos para encontrar Jez. Vamos ver se ela consegue nos colocar para dentro da mina de estanho. Acho que não temos muitas chances contra aqueles trolls de guarda.

Dei a ela o pão e ela o comeu quase inteiro.

Iniciamos nossa jornada de volta à mina de estanho. Abrindo a bolsa, peguei o pôster de *Procura-se* e o rasguei, espalhando os pedaços de papel enquanto cavalgávamos pelo mesmo caminho, passando pelas estalagmites até o ponto de frente para a entrada da mina. Henk estava certo. Era burrice carregar o cartaz comigo.

Senti um aperto na garganta quando vi a placa a distância avisando que invasores seriam recebidos a balas. Então, arfei, não conseguindo acreditar na minha sorte. O troll de guarda estava sentado em uma pedra próxima à entrada principal, com a cabeça tombada para a frente, profundamente adormecido. E os portões ameaçadores encimados por caveiras estavam completamente abertos. *Grande segurança*, pensei com meus botões.

Orientei Raio Lunar a ficar ali, agachei-me e segui, com cuidado, por entre as estalagmites em direção à mina. Parei para recuperar o fôlego próximo à abertura; tinha a sensação de que havia algo errado. A palidez da pele cinzenta e verrugosa do troll parecia excessiva e a barriga gorda trespassada por cintos de balas, estranhamente parada.

Devagar, aproximei-me e fiquei a apenas um braço de distância do guarda. Um morcego saiu voando da mina e eu me abaixei para desviar dele. Lancei um olhar para o guarda, apenas para vê-lo escorregar da pedra, caindo de barriga no chão. E foi quando eu vi. Fincada nas costas do guarda, uma pedra pontiaguda e estreita.

Fiz sinal para Raio Lunar se aproximar e, trotando ao meu lado, ela estremeceu.

— Isso nas costas dele é o que acho que é?

— Acho que é uma estalaca. — Aproximei-me e vi que a criatura havia rasgado o casaco do troll e devorava a carne dele.

Enojado, observei, ouvindo a minha própria respiração. Parte de mim queria se afastar dali, voltar para a estação e seguir Henk até as catacumbas ou partir para mais longe ainda, de volta para Minerópolis. Mas a possibilidade de encontrar Noose me amarrava ali. O troll defunto me deu uma ideia. O casaco dele, mesmo com um rasgo, poderia servir de disfarce enquanto eu observava a mina.

Peguei a zarabatana, mirando na parte mais grossa do corpo da estalaca fincada. Com um assovio baixo, o dardo penetrou a carne da criatura. Vi que, em poucos segundos, o corpo dela perdeu a rigidez e caiu de lado sobre as costas do troll, embora a boca ainda estivesse grudada na carne do guarda. Agarrando o corpo pegajoso, eu a arranquei dali e joguei-a no chão. Então, tirei o casaco do troll e o vesti. Era grande demais para mim, mas parecia ideal porque eu poderia me esconder nele. Vi um cobertor sobre a pedra em que o troll estivera sentado; eu o peguei e o coloquei sobre Raio Lunar, cobrindo suas asas. Depois, esfreguei a mão no chão imundo da mina e comecei a passá-la sobre os ombros e as costas dela.

— O que está fazendo?

—Você está limpa demais para um cavalo das minas. Além de parecer muito saudável. Tente assumir uma postura sofrida como os outros.

Escureci o meu rosto e guiei Raio Lunar para a mina. Seguimos o curso estreito da trilha do meio. Era mais fácil andar por ali, principalmente sob a luz fraca que iluminava o caminho.

Depois de um tempo, um barulho acima de nós fez com que andássemos grudados às paredes. Um cheiro fraco de fumaça me fez lembrar da taberna.

Caminhando vacilante pela trilha escura, fui tomado de medo quando percebi que não conseguia enxergar o teto para evitar as estalacas. Tateava o caminho com as mãos, movendo-as pelas pedras. De repente, senti algo agarrar o meu pulso.

— Peguei você! — exclamou uma voz grossa. Gritei quando fui puxado para uma pequena alcova mal-iluminada da mina principal. Um troll enorme e horrendo soprou fumaça de cachimbo na minha cara. Congelei de medo quando dois outros trolls me cercaram.

Formavam um bando pavoroso. Vestidos dos pés à cabeça com roupas negras, fediam a suor e à fumaça de baga. Tinham caras negras e narizes cobertos por verrugas bolhosas sob olhos pequenos e brilhantes. Olhos que me avaliaram, cautelosos.

— Olhem quem está bisbilhotando por aí — disse um deles.

—Acho que ele é pequeno demais para um guarda.

— Parece uma criança humana.

— Não, não com orelhas como essas. Diria que deve ter um pouco de sangue podre e fedido de elfos.

O troll maior pegou alguns equipamentos da última fileira de carrinhos de mão.

—Ax não permite que invasores bisbilhotem por aí — rosnou ele.

—Você deve estar planejando roubar minérios.

— Não sou ladrão. Estou procurando trabalho. O guarda me deixou entrar — menti. — Antes de uma estalaca cair em cima dele e o matar. — Lutei para manter a calma e pensar. Pensar em uma maneira de sair daquela encrenca.

O grande troll passou os dedos na manga do casaco que eu estava usando.

— Não é ladrão, hein? Pode dizer a verdade. Você o matou e depois roubou o casaco dele.

— Não, eu juro. Uma estalaca o matou. —Virei-me de costas para mostrar o buraco no casaco.

O grande troll coçou o queixo coberto de verrugas.

— Estalacas! — exclamou ele, estremecendo. — Melhor tomarmos cuidado, rapazes, se houver um ninho perto da entrada. Isso está se tornando uma maldição.

— Talvez os guardas ou Ax tenham-no enviado para nos espionar. Tipo assim, para ver se estamos trabalhando.

— Duvido que enviassem um elfo idiota.

Um deles puxou o cobertor de Raio Lunar, descobrindo suas asas.

— O que é isto? Desde quando cavalos alados puxam carretas das minas? Talvez ele leve o minério para fora da mina voando. É isso?

— Quem é você? E por que está bisbilhotando a nossa vida? — sibilou o troll menor.

— Isso mesmo. E o que você carrega nessa bolsa?

Os trolls se aproximaram e o grandão arrancou a bolsa do meu ombro.

—Tem alguma coisa para comer? Estou morrendo de fome.

— Sai fora — protestei, mas era tarde demais. O grande troll enfiou o pão na boca e, depois, jogou a bolsa no chão.

— Ei, onde está o *nosso* pão? Você deveria ter imaginado que estávamos com fome — provocou um outro troll, batendo com força no meu ombro e me obrigando a dar vários passos para trás, até eu sentir um dos carros da mina. Em seguida, o troll me agarrou e me jogou como um saco cheio de minério dentro do carro.

— Melhor não arriscarmos com esse aqui.

Os trolls concordaram.

— Que tal se déssemos uma caroninha para ele?

— É. Seu último passeio. Depois podemos colocar esse cavalo para trabalhar de verdade aqui na mina.

— O que vocês estão fazendo? — perguntei.

—Você disse que queria trabalhar na mina, não é?

Eles puxaram o carro para fora e o empurraram por uma mina que descia, até ele pegar velocidade e seguir o caminho sozinho.

Os trolls deram tapinhas nas costas um do outro, rindo e acenando adeus.

— Aproveite a viagem.

— Corra, Luna, e não pare por nada! Saia já daqui. Fuja!

Agarrei-me nas laterais do carro, enquanto as paredes da mina passavam por mim, e me perguntei como conseguiria escapar. Eu tinha certeza de que, se tentasse pular, quebraria a perna. O carro seguia a toda velocidade e havia pedaços de rochas afiadas por todos os lados.

Senti meu pé bater em algo pontudo e fiz uma careta de dor. Tateei o fundo do carro e peguei um machado. Os trolls tinham-no deixado ali. Tive uma ideia. Debruçando-me sobre a lateral do carro, enfiei a ponta de metal do machado entre a roda e o carro. Faíscas voaram, iluminando a mina escura e causando um som como o urro de um porco. Bem à frente, havia uma curva nos trilhos e eu saltei, rolando pelo chão da caverna. O carro mergulhou na escuridão.

Um lampião de madeira fluorescente brilhava em uma parede e eu o peguei. Havia três túneis; olhei, desesperado, para cada um deles, enquanto imagens de estalacas tomavam a minha mente. Também estava preocupado por ter perdido a minha bolsa. Nada de veneno ou de zarabatana. Mas o pior de tudo era ter perdido Raio Lunar. O que eu poderia fazer, mesmo se Noose estivesse por ali?

★ ★ ★

Sem saber por quê, tomei o túnel mais largo, mantendo os olhos atentos ao teto da caverna em busca de estalacas. Rezei para os espíritos para que Raio Lunar não estivesse ferida e tivesse conseguido fugir para um lugar seguro. Senti algo peludo passar sobre o meu pé e ouvi vozes vindas da profundeza da escuridão. Mais mineradores, talvez? Detectei um tom de pânico nas vozes que se elevavam. Isso, somado aos estrépitos de baldes e ferramentas caindo e ao soar repentino de uma buzina, foi o suficiente para indicar que havia algo errado.

Busquei, frenético, um lugar para me esconder e achei — um peitoril e um buraco grande o suficiente para eu me enfiar bem na parede da mina. Subindo pela rocha escarpada, coloquei primeiro os pés no buraco e mantive os olhos na mina.

Cerca de seis ou mais trolls saíram correndo pela mina em direção à saída, um deles segurando um berrante entalhado.

Arfei quando vi uma aparição branca de um monstro chifrudo e raivoso indo ao encalce deles. Ele cintilava como Henk, mas era enorme, quase ocupando todo o túnel da mina. Além disso, o brilho transparente era mais forte do que o dos fantasmas que eu já vira. Esticando um braço enorme, a criatura arrancou um pedregulho da parede da mina e a arremessou contra eles, derrubando-os como em uma partida de boliche. A criatura jogou a cabeça para trás e caiu na gargalhada antes de arrancar um pedaço ainda maior de rocha e lançá-la na escuridão. Que tipo de lugar era aquele? Havia estalactites comedoras de homens e agora eu me deparava com um tipo de espírito demoníaco.

—Tome isto, seu sugador de almas! — disse uma voz áspera.

Um troll maior, vestido como os guardas que eu tinha visto na entrada, emergiu das entranhas da mina e disparou uma arma

enorme. Raios de luz forte e cegante, como um relâmpago, saíram da arma, composta por dois canos encimados por caveiras. O jato de energia atingiu a rocha acima da aparição, fazendo com que uma chuva de pedras desabasse sobre ela. Outro tiro acertou o monstro bem no meio do peito. Sua boca se abriu e ele emitiu um rosnado ensurdecedor que fez com que a mina estremecesse; seu corpo fantasmagórico brilhou. O rosnado se tornou um grito demoníaco agudo e penetrante, como o som emitido por um bando de morcegos em uma caverna. Não consegui aguentar e tapei os ouvidos. Meu coração estava disparado no peito como o Expresso na velocidade máxima. Então, diante dos meus olhos, a criatura começou a diminuir. A parte exterior foi caindo até revelar um esqueleto fantasma pálido de ossos brilhantes, e eles também começaram a sumir, desintegrando-se em nada. E foi o fim do monstro.

Fiquei ali em silêncio por um tempo, ouvindo os gemidos e as reclamações dos mineradores feridos atingidos pela rocha. Então, de repente, ouvi um barulho diferente, como um choramingo vindo de detrás de mim, de algum lugar dentro da abertura na qual eu me escondia. O choro me surpreendeu, pois não se tratava do som grave de um troll, mas sim um tom agudo de alguém jovem. Saindo do túnel de ventilação, eu me virei e entrei de novo, mas, dessa vez, enfiando a cabeça primeiro.

A voz chorosa ficou mais aguda.

— Olá! Tem alguém aí? — chamei.

— S... sim. Aqui dentro. Estou presa!

Reconheci a voz na hora.

— Jez! Jez, estou indo. Aguente firme!

CAPÍTULO DEZ

★

A caveira e o tesouro

Rastejei pela passagem segurando o lampião. Havia cascalhos e pedras espalhados pelo chão dificultando o caminho.

— Will, estou aqui. Estou presa.

Sua voz parecia vir de detrás de uma parede de escombros.

— Estou aqui. Há quanto tempo você está aí?

— Não sei. Desde o pedremoto. A mina pareceu desabar e eu não consegui abrir caminho para sair daqui.

Suspirei, lembrando-me do tremor do dia anterior, durante o qual eu ficara inconsciente depois que o padeiro anão me atingira. Ela era bastante resistente, pois já estava presa havia muito tempo.

— Você está ferida?

— Não. Só alguns arranhões.

— Muito bem, aguente firme. Vou tirá-la daí.

Afastar as pedras era tarefa bastante difícil. Minha cabeça latejava enquanto eu me esforçava para levantar alguns pedregulhos pesados.

— Estou quase chegando, Jez — afirmei, quando tirei pedras o suficiente para ver as costas dela.

Um pouco depois, consegui tirá-la da prisão rochosa que a prendia.

— Nem estou acreditando! — exclamou ela. — O que você está fazendo aqui?

— Eu me enfiei no túnel para me esconder de um demônio que arrancava pedregulhos das paredes.

— A ira da mina. Os pedremotos costumam despertá-los das profundezas da rocha. Você fez bem em se esconder. Se a ira da mina conseguir capturá-lo, ela sugará a sua alma e deixará o seu corpo para os ratos da terra.

Engoli em seco.

— Está tudo bem agora. Um guarda acabou com ele usando um tipo de rifle...

— Um Winchester Contra Demônios — concluiu Jez. — É uma invenção dos elfos. Atira um tipo de fogo mágico, embora não se saiba bem como. É a única arma que pode acabar com uma ira da mina ou um fantasma.

— Fantasmas? Mas como você pode acabar com algo que já está morto?

— As iras e os fantasmas já morreram, mas seus espíritos ainda não, e eles são o alvo do Winchester. — Jez olhou para mim. — Você consegue fazer magia?

Lembrei-me da conversa a bordo do trem com o condutor elfo.

— Ainda tenho de aprender.

Ergui o lampião e, de repente, me dei conta de que o túnel estreito continuava para dentro da rocha.

— Acho que estamos em um túnel de ventilação, não é?

— Isso.

— Eu preferiria reunir o gado do que limpar os túneis de ventilação das minas. Ouvi dizer que os ratos da terra têm dentes afiados como adagas e podem chegar ao tamanho dos gatos selvagens.

Jez levou a mão ao cabo da faca em seu cinto.

— Aprendi a tomar conta de mim mesma. Quando fiquei presa, tinha certeza de que um dos grandes me encontraria e se vingaria de mim.

— Ninguém veio procurá-la?

— Talvez nem dessem por minha falta se eu tivesse morrido esmagada.

Estremeci.

— E você está feliz trabalhando aqui embaixo?

— Não tenho muita escolha. O pagamento sai em dia. Bem, na verdade, eu deveria ter recebido ontem, mas fiquei presa aqui o dia todo. Além disso, não tenho outro lugar para ir. Venha, vou tentar tirá-lo daqui. Os guardas trolls não gostam de estranhos bisbilhotando a mina.

— Espere um pouco. Descobri uma pista de que Noose, o bandido que procuro, pode estar ligado de alguma forma com a mina de estanho. Só tem duas coisas me incomodando: se Noose esteve por aqui, então você já deve ter ouvido falar dele, certo?

— Acho que sim, trabalho aqui há bastante tempo.

— E uma outra coisa: por que um ladrão de banco e de gado fora da lei de repente se aposenta para viver em uma mina? Isso não faz o menor sentido. — Fiz uma pausa. — A não ser que ele não esteja trabalhando na mina de estanho.

Jez franziu a sobrancelha.

— Não estou entendendo.

— Já ouviu falar nas *minas profundas?* — suspirei, enquanto minha mente trabalhava freneticamente.

De acordo com Jake, as minas profundas haviam sido fechadas havia mais de cinquenta anos. Talvez fosse isso. Talvez tudo aquilo tivesse a ver com o que Noose estava arrancando das minas.

— Não é estanho que ele está minerando — informei com o coração disparado. — É... é ouro!

— O quê?

— A mina Klondex — arfei. — A mina ilegal que foi fechada há mais de cinquenta anos. Não acredito que não percebi isso antes.

Jez me olhava sem entender.

— Do que você está falando?

Um plano se formava na minha mente.

— Esses túneis de ventilação atravessam até as minas mais profundas?

— Nunca ouvi falar de minas profundas. Mas já vi alguns túneis de ventilação um pouco mais além do cume onde eu moro.

— Será que pode me mostrar? — Retirei um cordão de couro do pescoço, enquanto a luz da madeira fluorescente iluminava um lindo medalhão, um escorpião incrustado em um âmbar liso. Yenene me dera aquilo quando eu era criança. — É tudo que tenho agora, mas será seu se me ajudar.

Jez arregalou os olhos, piscando como um sapo do pântano. Ela olhava hipnotizada para o medalhão.

— É lindo, mas não posso aceitar. Você acabou de salvar a minha vida. Eu é que deveria dar algo a *você*.

— Você salvou a minha vida também, quando me ajudou a subir no teto do trem para escapar daquele cauda de chicote.

Ela pegou o cordão e o passou pela minha cabeça.

— Fique com isso. E é claro que eu vou ajudá-lo. — Ela limpou a poeira da roupa com as mãos e ficou de quatro no túnel. —Venha.

Eu a segui.

—Você está bem para engatinhar?

— Está tranquilo — respondeu ela. — Estou feliz de sair dali.

Pensei na minha bolsa. Eu tinha certeza de que os trolls mineradores haviam roubado todo o conteúdo dela. Eu sabia que não teria escolha — deveria deixá-la para trás. Encontrá-la seria bem difícil, encontrá-la com os dardos e o veneno intactos seria mais do que eu poderia esperar. Eu teria de pensar em outra maneira de capturar Noose.

Engatinhamos por muito tempo. Meus joelhos doíam, e minhas mãos estavam arranhadas e doloridas. De repente, Jez perguntou:

— Quer ver um negócio assustador?

O que poderia ser mais assustador do que estalacas e iras da mina?, pensei.

— Claro.

— Eu costumava ficar completamente arrepiada de medo, mas agora eu uso isso apenas como um ponto de referência... Aqui está.

A princípio, eu não consegui ver nada além de alguns pedaços de pedra antigos, mas, quando olhei mais de perto, pude distinguir dois buracos escuros e, em seguida, dentes, ambos cercados por um osso branco... Uma caveira!

— As pedras soltas pelos pedremotos quase o soterraram com o tempo.

— Você sabe quem é? — perguntei.

— Não.

— Sabe o que aconteceu com ele?

— Ficou com a perna presa sob um pedregulho, talvez tenha ficado preso como eu.

— Há quanto tempo ele está aqui?

— Difícil saber com certeza. Pobre criatura. Os ratos da terra o devorariam em algumas horas.

— Um final nojento.

— Pode crer.

— Mas o que você acha que ele estava fazendo? Esse crânio não parece ser de um troll.

—Talvez estivesse se escondendo de alguém.

Estremeci ao passar por cima do esqueleto para seguir Jez. Então, apertei os olhos quando um feixe de luz forte os atingiu.

—Aonde estamos indo?

— É um atalho para um túnel de ventilação que talvez nos leve para as minas profundas que você falou. Temos de sair no cume.

Os meus olhos pagaram o preço de ter passado dois dias nas minas. Acostumei-me tanto com a penumbra da madeira fluorescente que quase me esqueci do brilho resplandecente no final do túnel: a luz do dia.

Vi Jez desaparecer pelo buraco antes de segui-la e sair na ala oeste do megálito. Pisquei e respirei fundo, enchendo os pulmões do ar puro soprado de Desolação. Olhei para baixo, mas apenas por um segundo, pois senti a cabeça girar e dei-me conta de que era o mesmo lugar que eu visitara no dia anterior: um das muitas cordilheiras que formavam os Picos Rochosos.

Jez estava ofegante.

— Teremos de escalar um pouco mais, mas tenho de parar e descansar por um tempo. Preciso beber alguma coisa, senão vou desmaiar.

Ela engatinhou até a beirada estreita e se sentou com as pernas balançando no precipício. Retirando uma pedra que cobria um pequeno buraco, ela enfiou a mão lá dentro e pegou um jarro de barro. Bebeu um grande gole antes de me oferecer. Tomei um pouco, cuspi um inseto e segui o olhar dela em direção a um conjunto distante de tornados.

— Diga uma coisa: por que você está usando o casaco da guarda?

— Estou disfarçado.

Virando-me na beirada, perdi o equilíbrio. Jez esticou o braço para me segurar. Pedras e poeira despencaram lá para baixo.

— Obrigado.

— Sem problema — respondeu Jez, corando. —Você provavelmente teria se esborrachado bem nos trilhos do trem — concluiu ela em tom de quem sabe tudo.

Olhei para baixo e percebi que havia uma clareira plana e larga onde estavam os trilhos do trem que levavam até Minerópolis. Pensei na vovó e nos outros rancheiros, e, de repente, fiquei com saudades. Eu quase podia sentir o cheiro de torta de frutas vermelhas trazido pelo vento.

— Talvez você devesse esquecer Noose e ir embora — opinou Jez. — Se o trem passar, basta você se deitar bem no meio dos trilhos e acho que você não vai ficar com nenhuma marca.

Limpei a boca com a manga do casaco.

— Não vou voltar para casa sem Noose nem Raio Lunar.

Jez enfiou a mão no buraco de novo, despertando a minha curiosidade.

— O que mais você tem aí? — perguntei.

Ela piscou um olho para mim.

— Este é o meu baú do tesouro. Vou lhe mostrar uma coisa.

Ela pegou um objeto semicircular cor de bronze, mais ou menos do tamanho do seu antebraço; era anguloso e marcado por fendas em algum tipo de medida. Tratava-se de um objeto que, mesmo que você não soubesse o que era, ainda parecia muito intrigante, quase mágico. No entanto, eu sabia exatamente o que era.

Murmurei:

— Eldon. — Enfiei a mão no bolso sob o casaco do troll e peguei o recorte de jornal. Sentindo a respiração acelerar, desdobrei o papel e o alisei, olhando-o sem acreditar. — Onde você achou isto? — perguntei, meio que bloqueando a resposta que eu esperava que não chegasse aos meus ouvidos.

— Encontrei bem ao lado do esqueleto. Bonito, não é?

Olhei de novo para o túnel, sentindo o vômito subir pela garganta.

— Você está bem? Você ficou branco como a ira da mina — disse Jez, olhando por sobre o meu ombro. — Espere um pouco, aquela coisa que o elfo está segurando parece... — Ela segurou o objeto de bronze ao lado da fotografia. — Não acredito... Você o conhecia, não é?

Concordei com a cabeça.

— O nome dele era Eldon Overland. Era amigo de papai, um cientista. Estava realizando um estudo nas rochas dos Picos Rochosos. Ele desapareceu no ano passado, mais ou menos na mesma época que meu

pai morreu. Na verdade, meu pai estava indo encontrá-lo quando Noose o atacou.

— Sinto muito.

Então, agora eu poderia dizer a vovó que Eldon não foi soprado por um tornado. Parece que ele estava trabalhando, medindo a área quando descobriu o túnel. Talvez as medições do equipamento o tenham levado até lá. Será que fora um pedremoto? Será que um pedregulho tinha caído sobre a perna dele, deixando-o à mercê dos ratos da terra? Provavelmente eu nunca descobriria ao certo, mas parecia que a paixão de Eldon pelo estudo de pedremotos custara sua vida.

— Podemos ir agora? — perguntei, sério.

Jez assentiu e começou a escalar uma face escarpada da rocha como se suas mãos fossem feitas de cola. Esforcei-me para segui-la. Quando a rocha se nivelava para formar outro platô, Jez afastou algumas heras daninhas, expondo um pequeno túnel de ventilação.

— Acho que esse túnel deverá levá-lo às minas profundas.

Esfreguei os joelhos. Eles estavam sangrando e doloridos.

— Qual o tamanho dele?

— Não sei, nunca entrei. Não é um dos meus túneis e eu não pretendo entrar aí, a não ser que Ax me pague para isso. O que me lembra que tenho de vê-lo. Tudo bem para você se nos encontrarmos mais tarde?

Concordei com a cabeça.

— É melhor eu ir sozinho. Ah, mas antes de ir, será que pode me emprestar a sua faca? — Pegando a faca, cortei as mangas do casaco do guarda e as amarrei nos joelhos. Então, cortando um pouco de tecido da camisa, enfaixei as mãos.

Devolvi-lhe a faca.

— Obrigado.

— Adeus, Will.

Ela se voltou para descer pela beirada, quando eu a chamei:

— Espere.

Antes que ela pudesse me impedir, coloquei o cordão com o medalhão ao redor de seu pescoço.

— Não, eu já disse...

— Eu quero que fique com isso, Jez, para o seu baú do tesouro.

— Não mesmo. Nada de baú do tesouro. Vou ficar com ele e usá-lo o tempo todo.

— Então, aceite.

Ela sorriu.

— Não vou discutir. Obrigada. Adeus. E boa sorte.

Enquanto eu engatinhava, as paredes estreitas pareciam se fechar ao meu redor, como se o túnel quisesse me espremer até a morte antes que eu tivesse a chance de chegar às minas profundas.

Um pouco depois de começar a jornada, o tempo pareceu derreter, substituído pelo arrastar dos joelhos nas pedras. Eu já desistira de tentar entender como Jez conseguia passar o dia inteiro, todos os dias, engatinhando por túneis e ainda manter a sanidade. Fui tomado de medo. E se houvesse um tremor e eu ficasse preso como Jez? Será que eu estava no caminho certo? Será que Raio Lunar conseguira escapar das minas com vida? *Arraste! Arraste!* Então, fixei o olhar no chão do túnel e somente depois de um tempo percebi que ele se alargava. Em certo ponto, fiquei grato por poder me sentar um pouco, descansar e esticar as pernas doloridas. Havia cascalhos espalhados, e imaginei que a caverna deveria ter se formado durante um pedremoto.

Forcei-me a seguir adiante, pois percebi que o túnel voltava a se estreitar mais à frente. *Arraste! Arraste!* Eu não avançara muito, quando minha mão tocou em algo que parecia fora de lugar. Algo macio, que me lembrava do feno que Raio Lunar comia lá no rancho, só que era um pouco mais áspero e estava espalhado por todo o túnel. Ergui o lampião e tentei enxergar adiante; o material ficava tão denso que bloqueava totalmente a passagem. Agarrei um pouco com a mão e tentei escavar o caminho com os dedos, quando ouvi um barulho de movimento além do bloqueio. Havia algo ali.

Logo depois, o lampião iluminou dentes brancos e afiados saindo das folhagens e vindo na minha direção. Um enorme rato da terra! Por instinto, ergui o braço, e o atacante fincou os incisivos no casaco e mergulhou na minha pele. Meu grito ecoou pelo túnel, chegando provavelmente até a ala oeste. O animal marrom sujo não queria me soltar e seus olhos miúdos se concentraram na minha garganta. Ele devia estar se xingando por ter errado a mira.

Sentando-me sobre os calcanhares, usei o braço livre para tatear o chão em busca de algo. Eu tinha certeza de que acabara de arrastar o joelho por cascalhos soltos. Como uma aranha enlouquecida, meus dedos se arrastavam pelo chão até que... sim! Acertei com toda a força que consegui a cabeça do rato com uma pedra do tamanho da minha mão. O som de osso se quebrando quase me fez sentir pena, enquanto o animal, manchando meu casaco de sangue, caía no chão.

Com o coração disparado, fui abrindo caminho com as unhas e segurando a pedra na mão. Mas não havia mais ratos da terra. Os outros deviam ter fugido pelos túneis de ventilação. Pelo menos, agora eu sabia como Jez ganhava a vida, e, com certeza, aquela faca que ela carregava com ela era de grande serventia.

Depois de um tempo, além do som do arrastar dos joelhos no chão, ouvi outros barulhos vindos de uma passagem adiante. Sons de trituração e escavação, misturados com batidas rítmicas e profundas. Mesmo com as mãos enfaixadas, senti a rocha tremer. Mas o que estava causando aquilo?

Por fim, atingi o final do túnel.

— As minas profundas — suspirei.

Olhei lá dentro, incapaz de absorver tudo que via. Trolls mineradores trabalhavam com afinco, atingindo a face da rocha com seus machados em uma câmara enorme e mal-iluminada. Eles jogavam pedregulhos em carrinhos de mão que, uma vez cheios, eram levados até um poço circular no meio da câmara, onde as pedras eram jogadas. Concluindo o processo, um grande ogro musculoso lentamente empurrava um grande pedregulho arredondado ao redor do poço, moendo as pedras. Dois guardas carrancudos se mantinham próximos ao que parecia ser a saída do túnel. E lá, no meio de todos, fumando um cachimbo de baga e gritando ordens, estava Noose.

Ele vestia uma camisa suja de tecido feito com casca de árvores, empapada de suor, com a parte superior desabotoada, revelando escamas ondulantes. E, exatamente como eu vira com o atendente da taberna, vi algo se mexendo sob a camisa. Ele tinha olhos escuros e era tão feio quanto no pôster de *Procura-se*, mas o cabelo agora estava mais comprido e mais sujo, e o nariz inchado e queixo protuberante tinham muito mais verrugas. Ele lambeu os lábios com uma língua verde horrenda.

Para um lugar que deveria estar fechado, certamente parecia uma indústria próspera. Como aquilo poderia estar acontecendo sem que ninguém soubesse? Jake dissera que a mineração nas minas profundas enfraqueceria a ala oeste até que ela fosse totalmente destruída.

De repente, dei-me conta de que Noose não estava mais gritando ordens, mas sim escorraçando alguém que parecia estar amarrado à pedra do moinho, embora não desse para eu ver direito, pois um grupo de mineradores se juntara para assistir. Ax estava perto de Noose. Eu o reconheci do dia anterior, quando ele ignorara os pedidos dos mineradores exaustos para guardar o chicote.

— Pela última vez, onde está o garoto? — berrou Noose bem alto.

— Eu já disse, não sei! — veio a resposta.

— Mentirosa. Você disse que estava presa no túnel de ventilação e que alguém a ajudou.

— Foi, mas eu não vi quem foi. Eles já tinham ido embora quando consegui me mexer de novo. Minha perna ficou bem machucada.

Para o meu horror, vi a pessoa que estava presa e sofrendo a ira de Noose. JEZ! Arfei, enojado. Como poderia ser? Parecia que tínhamos acabado de nos despedir.

— Cala a boca. — Noose arrancou o medalhão do pescoço dela. — Desde quando uma anã usa um medalhão elfo?

Ax acrescentou:

— E tão perto de onde Hegg e os outros disseram ter visto o invasor... Um garoto elfo!

— Você contou para ele alguma coisa sobre as minas profundas?

— Como eu poderia falar sobre um lugar que eu nem sabia que existia?

— Você está mentindo. — Ele bateu no rosto de Jez.

Notei algo sair da camisa meio desabotoada; a cabeça de duas cobras apareceram na região do estômago com suas línguas tremulando, desenrolando-se para sibilar bem alto no rosto dela.

— É verdade!

— Você ajudou ele?

— Ele me ajudou! — explodiu ela. — Eu estava presa. Ninguém apareceu para checar se eu estava bem depois do tremor. Mas não sei para onde ele foi. Deve ter conseguido subir até a ala oeste.

— Isso está cheirando mal. O garoto sai por aí fazendo perguntas sobre mim e depois aparece bisbilhotando na minha mina. Bem, vou encontrar ele e esmagar aquela cabeça oca com esta pedra. — Ele sacudiu o braço fazendo sinal para um grupo de mineradores e gritou: — Deixem as ferramentas e vasculhem a mina. Procurem em todos os cantos. Tragam ele vivo!

— O que fazemos com a anã? — murmurou Ax.

— Matem ela. Viu demais. — Ele cuspiu no chão, debochando. — *Urgala!* — O ogro se levantou, puxando a alavanca do moinho, fazendo com que o pesado seixo começasse a rolar para a frente.

— Adeus, anãzinha!

Eu sabia que tinha apenas uma opção. Sem pensar duas vezes, saí do túnel de ventilação.

CAPÍTULO ONZE

★

O Troll Barriga de Serpente

aí do meu esconderijo e entrei na câmara da mina, descendo
pela parede escarpada.

— Soltem-na!

Noose ergueu o braço e o ogro parou. O silêncio pairou sobre
todos. Olhos escuros de troll queimavam a minha pele. Mais cobras
saíram pela camisa de Noose enquanto ele caminhava na minha
direção, com expressão de raiva.

— O que temos aqui? Vejam só quem saiu de um buraco na
rocha! Vejam se não é um pequeno rato da terra que finalmente
decidiu mostrar a cara.

As serpentes da barriga de Noose, com sua pele escorregadia e
negra, fixaram os olhos em mim enquanto ele, com bafo rançoso,
me agarrava pelo casaco.

— Você tem causado muitos problemas por aqui, garoto.
Quem mandou você?

— Ninguém me mandou vir aqui. — Decidi que não valia a pena mentir para ele. Então, contei a verdade. — Sou um caçador de recompensas e vim prendê-lo — declarei com a voz mais trêmula do que gostaria.

A câmara da mina explodiu em gargalhadas.

Examinando o casaco que eu usava, Noose rugiu:

— O meu guarda está morto, garoto elfo. Você matou ele!

— Não, foi uma estalaca. Eu juro.

— Não tinha estalaca nenhuma nele, de acordo com meus homens.

— Eu a arranquei para pegar o casaco.

— Se mentir para mim, vou matar você com as minhas mãos.

— É verdade.

— Você está a serviço do Grã-xerife, não é?

— Eu já disse que sou um caçador de recompensas.

— A maioria dos matadores de aluguel tem um cavalo. Cadê o seu?

— Ela fugiu quando os trolls mineradores me encontraram.

Noose pareceu pensar a respeito, coçando o queixo coberto de verrugas.

— Você é muito burro, mas tem coragem. É uma pena que vou matar você junto com sua amiguinha no moinho. Depois, quando os ratos da terra tiverem acabado com os dois, talvez eu o pendure junto com o velho Zeb Klondex aqui. — Ele caminhou até uma corda. Olhei para cima e arfei. A corda estava presa a um esqueleto pendurado no teto da mina e, quando Noose a puxou, ele começou a estalar, um osso batendo no outro, e a boca abrindo e fechando em um tipo de dança macabra. Noose riu muito, tossindo e enchendo a boca de catarro, o qual cuspiu na minha bota.

Gelei de medo. Eu estava impotente, enquanto o meu plano rapidamente se esfarelava diante de mim.

— V-você não pode me matar — gaguejei, sentindo a garganta apertada. — Existem outros e eles virão à minha procura.

Com a mão enluvada, Noose me ergueu do chão e ficamos cara a cara. As serpentes de sua barriga sibilaram e cuspiram em mim. Eu sentia o bafo quente e fétido.

— Quem é você para me dizer o que fazer? — rosnou ele entre os dentes. — Amarrem ele do lado da garota, enquanto eu vou beber alguma coisa.

— Dois de nós podemos empurrar o seixo — ofereceu um troll.

— É mesmo. Por que só o ogro pode se divertir? — reclamou outro.

Noose se afastou.

— Está certo. Por que não? Vocês podem se juntar e ver quem consegue acabar com eles. — Então, ele me lançou um olhar e riu. — Meus homens não costumam se divertir muito.

Meu coração disparou no peito quando o ogro me levantou, amarrando-me com o rosto para cima ao lado de Jez no alto do grande seixo do moinho. Tentei resistir, mas foi em vão. Eu era como um peixinho nas mãos de um gigante. A corda foi jogada sobre o meu peito e pernas, e depois senti o nó se apertar.

Virei-me para Jez.

— Desculpe-me por ter envolvido você nisso tudo.

—Tudo bem. Não é culpa sua — respondeu ela. — Essa morte é mais rápida do que ser comida por um rato da terra lá onde eu estava presa.

Para meu horror, vi os trolls mineradores enrolando pedaços de corda velha para usarem como alavanca.

— Não desista, Jez. Vamos conseguir escapar. Pensarei em algo.

Quando Noose voltou carregando uma garrafa de uísque Bafo Bafudo, gritei:

— Isso tudo é ilegal. Você está acabando com a estabilidade da ala oeste, causando todos esses pedremotos. Milhares de pessoas morrerão, se Minerópolis desmoronar em Desolação.

— Seu conhecimento sobre geologia e esta mina aqui é impressionante. Mas para mim, se Minerópolis despencar em Desolação, a perda não será grande para a Grande Rochoeste.

—Você é um verme, Noose Wormworx.

— E você é um garoto morto... — Ele fez uma pausa. — Droga, desculpe meus modos, mas acho que tenho de me informar sobre as tripas de quem vou arrancar. Qual é o seu nome, garoto elfo?

— Gallows, Will Gallows. Meu pai era o xerife suplente de Minerópolis até você assassiná-lo em um tiroteio nos Picos Rochosos.

— Bem, isso é interessante — disse ele, batendo com o dedo no queixo. — Picos Rochosos. Agora estou me lembrando. Ah, sim, isso mesmo. Estou me lembrando agora, mas eu não chamaria aquilo de tiroteio. Seu velho não durou nem um tiro. Tudo acabou em segundos.

Furioso, lutei contra as amarras.

— Em um tiroteio limpo, meu pai teria feito muitos buracos em você. Um lugar como este combina com você, se escondendo embaixo das rochas como o verme que é.

— Escondendo? Oh, não. Noose não se esconde de ninguém. Eu chamaria isto de proteger o meu investimento. Se você descobre um baú do tesouro, não o deixa pra trás, não é mesmo?

Um grito do chão da mina me alertou que os trolls mineradores estavam brigando para decidir quem teria o direito de nos esmagar sobre o seixo do moinho.

— Chegou a hora de vocês dois morrerem. Você fez um gesto nobre mesmo ao vir até aqui para vingar a morte do seu pai, mas, veja bem, a maioria dos matadores de aluguel vem me procurar acompanhado por um grupo de pessoas. — Ele olhou para além do seixo e teve um acesso de riso. — Você fala que virão procurá-lo, mas a verdade é que não tem nem uma alma com você!

Quando ele terminou de dizer isso, um cavalo branco sujo com um cavaleiro fantasma montado entrou na mina seguido por uma figura a pé, segurando um revólver na mão cintilante. Henk estava montado na quase irreconhecível Raio Lunar! E o fantasma a pé era Jake, que deu um tiro certeiro nas cordas que nos prendiam ao seixo, libertando-nos para nos sentarmos. Notei que Jake carregava nos ombros a minha bolsa com os dardos e o veneno. Os trolls mineradores deviam tê-la largado em algum lugar e Jake a encontrara.

— Luna nos contou que você poderia estar precisando de ajuda espiritual.

Jake soprou o cano do revólver e o girou no dedo.

—Vim junto para dar um jeito nas coisas. — Então, em tom de desculpas, acrescentou: — A propósito, garoto, sinto muito pelo jogo de pôquer, você ganhou de forma justa e limpa. — Ele disparou a arma, e os mineradores, aterrorizados, assim como Noose, correram em busca de proteção. Ax tombou segurando o peito.

Quando os tiros cessaram, Noose exclamou:

— Ora, ora. Parece que a cavalaria celeste acabou de chegar! — Então, ele se virou para o ogro. — *Um Urghala!*

Reagindo às ordens de Noose no seu idioma, o ogro de repente começou a urrar e, pegando a alavanca, empurrou o seixo para a frente. Nós caímos no poço, bem no caminho da grande pedra.

Jake percebeu o que estava acontecendo e descarregou três pentes na barriga do ogro. Mas, além de deixá-lo ainda mais zangado, não surtiu muito efeito. As balas apenas quicaram na pele dura e impenetrável da criatura. Raio Lunar galopou para fincar seus incisivos na carne do ogro, mas ele se livrou dela com o calcanhar. Agarrei o braço de Jez e a tirei do caminho do seixo; em seguida, corri para me proteger perto de Henk. Mas Jez correu na direção oposta direto para o túnel de ventilação.

Fazendo um sinal para cessar o tiroteio, Henk sugeriu:

— Deixe o garoto vir com a gente e ninguém vai se machucar.

— Fui responsável por um grande grupo de fantasmas no meu tempo — respondeu Noose, atrás de alguns barris. — Mas está para chegar o dia que vou receber ordens de um. E, levando a mão às costas, ele sacou o Winchester Contra Demônios. Reconheci a arma na hora, pois fora a mesma que o guarda usara contra a ira da mina, e eu gritei:

— Proteja-se!

— O que é aquilo?

— Fique bem longe daquela arma — orientei. — Ela pode acabar com os fantasmas.

O forte jato de energia luminosa cortou o ar enquanto Henk mergulhava atrás de uma fenda, escapando por pouco do projétil.

A maioria dos mineradores estava desarmada e, aterrorizada com o fantasma que disparava saraivadas de tiros, eles correram e se empurraram em direção à saída do túnel. Alguns com a ajuda dos coices de Raio Lunar. Os que ficaram carregavam somente revólveres comuns, totalmente inúteis contra os fantasmas já mortos. Apenas a arma de Noose tinha o poder de acabar com o espírito.

O ogro arrancou o arreio de couro soltando-se do moinho de minerais. Então, com seus braços fortes, agarrou um pedregulho e o lançou contra Jake, destruindo um carrinho de mão ao quebrá-lo em mil pedaços.

— Desistam, seus espectros de uma figa! — berrou Noose. Então, no idioma do ogro, ordenou: — *Umgo urula ruh!*

O ogro, como um cão leal, postou-se na frente de Noose, recebendo a saraivada de tiros de Jake, que parecia determinado a acabar com o monstro. Mas as balas apenas quicavam na pele impenetrável da criatura.

No entanto, a fúria de Jake o deixou descuidado e a sua proteção, destruída graças ao pedregulho lançado, deu a Noose a oportunidade de atingir o alvo. A câmara foi banhada de luz, e Jake tombou e o revólver voou de sua mão. Uma fumaça começou a sair de sua boca enquanto seu corpo translúcido se retorcia e estalava na caverna mal-iluminada até começar a evaporar.

Noose pareceu sentir que uma vitória rápida se aproximava e avançou ao ver Henk desarmado. Ele mirou no fantasma, mas me atingiu no meio da testa, lançando-me para trás. Senti uma dor excruciante, mas passou rápido, deixando-me apenas com alguns arranhões por causa da queda. A arma era inútil contra os mortais, e Noose amaldiçoou a mira ruim e sacou o revólver.

De repente, um tiro cortou o ar e Noose caiu para trás, levando a mão até a perna.

— O qu...? — Eu me virei e vi Henk trêmulo segurando a arma de Jake, com um olhar surpreso no rosto. — Henk, você conseguiu segurar um objeto! — exclamei.

— Pelos espíritos! Eu não acredito — arfou Henk. — Sério, nunca achei que sentir o toque frio do aço seria tão bom. Você está bem?

Noose gritava enquanto buscava proteção atrás da parede de barris.

— Você não vai vencer, fantasma. Jogue sua arma ou vou acabar com a sua alma para sempre.

Henk gritou:

—Temos que derrubar o ogro. Ele está protegendo Noose.

Notei a bolsa caída no chão bem no lugar onde Jake se desmaterializara. Raio Lunar estava perto dela.

— Luna, jogue a minha bolsa.

Raio Lunar agarrou a bolsa com os dentes e a atirou pelo chão da mina, mas ela parou um pouco antes de chegar a mim. Furioso porque ela havia se envolvido, Noose atirou nela, mas Luna se abaixou e correu para se proteger na entrada da mina.

Pegando um galho, eu me estiquei em direção à bolsa. Noose disparou uma saraivada de tiros. Depois de algumas tentativas, pesquei a bolsa e a arrastei até mim. Abri-a. Por milagre, o vidro de veneno estava intacto; a bolsinha de contas, porém, havia desaparecido, provavelmente roubada. Peguei a zarabatana, agora quebrada em vários pontos, e agarrei o pedaço mais longo.

— Eu estava morrendo de curiosidade para saber o que havia de tão importante nessa bolsa, e tudo que tem aí é um pote de geleia — disse Henk.

— Veneno — corrigi, notando algo mais no fundo da bolsa. Um único dardo. — Tudo bem, tenho uma ideia para nos livrarmos do ogro. — Mergulhei o objeto tão rapidamente no vidro que chegou a vazar pelas beiradas. Então o enfiei na zarabatana.

— Dá para ver uma lâmpada se acendendo na sua cabeça. Qual é o plano?

— Precisamos chegar mais perto. Logo o veneno vai deixá-lo inconsciente, embora essa zarabatana esteja curta demais para um tiro a distância. — Observei a mina. — Aquele carrinho virado ali. Se eu conseguir chegar até ele, terei um tiro certeiro.

— Vou dar cobertura.

— De jeito nenhum, é perigoso demais. O rifle contra demônios destruirá você. Eu consigo.

— Já disse que vou dar cobertura — sorriu Henk. — Você se lembra do que eu falei sobre fazer algo para ganhar a minha passagem lá para cima? Bem, acho que é isso. — Ele estendeu a mão fantasmagórica para mim. — Parceiros?

Estiquei a minha e apertei a mão de Henk, sentindo a pegada fria pela primeira vez.

— Parceiros — repeti, sorrindo.

— Agora, vá!

E eu fui, correndo pela caverna em ziguezague. Ouvi Henk disparar vários tiros contra Noose e o Ogro, mas Noose — sob a proteção do ogro — conseguiu atirar em mim, e uma chuva de balas atingiu o carrinho de mão, assim que mergulhei atrás dele. O ogro abriu a bocarra para emitir um urro de protesto com a minha manobra. Aquela era a minha chance — levei a zarabatana à boca, mirei e soprei com força. O dardo cortou o ar da mina e se prendeu à língua negra e estendida da criatura. Tossindo e bufando, o ogro fechou a boca, mastigou o dardo e o cuspiu fora.

— *Pteeeewaghh!*

Enfurecido, o ogro arrancou um pedregulho e o lançou na minha direção. Mas ele se quebrou um pouco antes de me atingir. Talvez o veneno estivesse começando a fazer efeito, pensei. Estava preocupado porque não tinha certeza se funcionaria em uma criatura com o tamanho e a força de um ogro. Quando ele ergueu outra pedra ainda maior, achei que era hora de me mexer. Fiz um sinal para Henk avisando que eu estava prestes a voltar. Henk entendeu o sinal e lançou vários tiros contra o ogro, mas o revólver já dera muitos tiros e ouvimos o clique que indicava que o tambor estava vazio. O ogro começou a cambalear, então virei-me para ver Noose, que estava agachado ao lado da pilha de barris com o rifle apontado...

— Volte, Henk! — exclamei.

Mas o aviso chegou tarde demais e Noose disparou o feixe poderoso de energia diretamente em Henk, atingindo-o em cheio na cabeça, que voou do seu pescoço e se vaporizou enquanto ainda atravessava a caverna.

— Nãããããããããão!

Observei, horrorizado, enquanto a fumaça pálida que fora Henk começou a se dissolver.

— Henk, onde você está? — gritei. — Volte aqui! Você não pode partir.

Senti meus olhos se encherem de lágrimas, embaçando a minha visão da caverna com sua iluminação arroxeada. Senti que eu ia vomitar. Henk se fora. Eu só o conhecia havia alguns dias, mas fora o suficiente para que nos tornássemos parceiros e bons amigos. Agora ele fora vaporizado, como fumaça de cachimbo. Não consegui absorver aquilo tudo. Era demais para aguentar. Mas as últimas palavras de Henk chegaram à minha mente vindas de algum lugar: *Você se lembra do que eu falei sobre fazer algo para ganhar a minha passagem lá para cima? Bem, acho que é isso.*

Engoli em seco. Fui tomado por uma sensação estranha e repentina de que Henk estava bem e em um lugar melhor, não sendo mais considerado um espírito fora da lei, como ele dissera. De certa forma, foi reconfortante saber que talvez eu o tenha ajudado a conseguir isso.

Afastei as lágrimas, e Noose entrou no meu campo de visão. Ele estava de pé em frente ao ogro do outro lado da caverna. Uma penca de cobras pretas sibilantes saía pelo seu estômago, enquanto suas línguas estalavam.

— Agora somos só nós dois, garoto — declarou ele. — Por que não desiste logo?

— Nunca! — respondi, veemente, ainda agachado atrás do pedregulho que me servira de cobertura durante quase todo o tiroteio. Vi Raio Lunar observando tudo nas sombras do túnel de saída e fiz um sinal para ela permanecer ali. — Não desistirei até você estar atrás das grades.

Noose gargalhou.

— No caso de você não ter notado, o seu fantasminha camarada e patético não está mais entre nós. — Ele jogou o Winchester Contra Demônios no chão. Não precisava mais daquilo. A partir daquele momento, era o vivo contra o malfeitor.

O ogro emitiu um urro ensurdecedor e meu coração pulou no peito como se quisesse escapar da prisão das costelas. O veneno do sapo não tinha funcionado. Talvez o dardo não tenha penetrado o suficiente na grande língua ou talvez ele fosse grande demais e feio demais. O monstro avançou para a frente, arreganhando os dentes afiados como adagas, mas Noose estendeu o braço como que avisando que aquela briga era dele e o ogro parou.

— Por que a gente não resolve isso cara a cara? — sugeriu Noose, abrindo um dos muitos cinturões com coldres de revólveres que envolviam sua cintura. Ele o jogou pelo chão da caverna até o pedregulho que me protegia. — Um pouco antes, você estava falando sobre duelo justo, então, vamos nessa! O que pode ser mais justo do que um duelo com os dois oponentes se virando para ver quem é o mais rápido no gatilho?

Olhei para a arma. O metal negro brilhava sob a luz da madeira fluorescente; o cabo também era preto e decorado com um crânio encrustado com pedras preciosas.

— Não sou pistoleiro, eu... Eu não quero atirar em você — gaguejei.

— Está com medinho, não é? — provocou ele. — Retiro o que disse sobre você ser corajoso. Acho que está com medo de errar o tiro que nem seu papaizinho.

Fervendo de raiva, saí de detrás da pedra e peguei o cinturão com a arma, levando tempo demais para prendê-lo à cintura com as minhas mãos trêmulas. Noose estava errado. Papai era um excelente atirador. Ninguém podia com ele quando estava com a sua pistola, mas ele dizia que matar era o modo covarde de sair de uma situação e que a morte nunca resolvia nada. Eu nunca matara ninguém na vida. E, mesmo que eu estivesse prendendo o cinto à cintura, sabia que não queria atirar em Noose. O que realmente queria era algum tipo de inspiração. O que eu faria a seguir?

Então, senti o brilho da esperança.

Quando ergui os olhos do cinto, tive certeza de que o ogro cambaleara um pouco. Será que o veneno de sapo finalmente estava fazendo efeito? Se esse fosse o caso, eu poderia usar a distração para fazer alguma coisa. Se Noose se virasse, talvez eu conseguisse atingi-lo na perna, pegar sua arma e, depois, envená-lo com o que sobrara do veneno.

Noose sorriu.

— Ah, agora sim. Assim está bem melhor. Quando se sentir pronto para morrer, é só avisar, garoto.

Ele jogou um lado do casaco para trás, revelando o cabo do seu revólver, e pousou a mão ali, pronto para sacá-lo e atirar em mim. Notei que o indicador dele se moveu algumas vezes.

O ogro começou a choramingar e revirar os olhos, segurando a cabeça com as mãos. Naquele momento, eu tive certeza de que o veneno do sapo funcionara.

— Fique quieto, grandão! — gritou Noose, aborrecido com o ogro, mas não o suficiente para afastar os olhos de mim para que eu pudesse tentar atingi-lo na perna. — Você está atrapalhando a minha concentração. Vamos logo, garoto, pegue a arma. Você sabe que quer atirar no velho Noose. Quer me matar para vingar a morte do seu pai. Ora, isso está correndo nas suas veias como veneno.

Certo. Mas o veneno corria nas veias do ogro mais rapidamente, e a criatura parecia mais instável a cada instante.

— Estou ficando cansado de esperar — reclamou Noose. — Tenho uma garrafa aqui no meu bolso. — Lentamente, ele levou a mão esquerda ao bolso e pegou a garrafa de uísque Bafo Bafudo da qual bebera mais cedo. — Então, o lance é o seguinte: vou jogar a garrafa para cima e, quando ela cair, a gente saca, combinado?

Ainda assim, eu não disse nada. Estava congelado. Meu corpo e minha mente pareciam dormentes de medo, observando enquanto

o ogro cambaleava para trás como um bêbado na taberna da Fenda Mortal.

— Não importa se você concorda ou não — continuou Noose. — Vou jogar de qualquer maneira. Aí vai.

Assim, ele lançou a garrafa para cima, quase atingindo o teto da caverna, e ela caiu de volta ao chão. Segurei a respiração, meu olhar se alternando entre a garrafa e o ogro, que agora perdera a consciência e estava caindo... para a frente, na direção de Noose.

A garrafa se espatifou no chão rochoso. Com reação rápida, Noose agarrou o cabo do revólver e o tirou do coldre. Mas antes que pudesse puxar o gatilho, o ogro caiu bem em cima dele, esmagando-o e matando-o.

E a mina ficou em silêncio. Observei o pé de Noose se contorcendo sob o peso do ogro, até que ficou imóvel. Fiquei parado ali, em silêncio, ouvindo a respiração pesada do ogro se tornar um ronco.

Raio Lunar saiu do seu esconderijo no túnel.

— Acabou, Luna.

— Graças aos espíritos. Você está bem?

— Sim. E você?

Ela resfolegou.

— Sim, estou bem. Mas Jake e Henk...

— Talvez não tenha sido tão ruim — disse eu. — Uma vez, Henk me disse que eles eram considerados fora da lei do mundo dos espíritos e que estavam presos aqui por algum motivo.

Raio Lunar olhou para cima.

— Você acha que existe uma chance de eles terem ido lá para cima? Para o mundo dos Grandes Espíritos?

Concordei com a cabeça.

— Apenas os bons conseguem ir para lá, e não há como ser melhor do que Jake e Henk. — Acariciei o focinho dela. — Você fez um ótimo trabalho, Luna, buscando ajuda. Eu não teria conseguido sem você. O seu pai teria ficado orgulhoso.

Raio Lunar relinchou.

— O seu também. E eu faria tudo de novo. Somos um time. Lembra?

No moinho, recuperei o medalhão âmbar que Noose arrancara do pescoço de Jez mais cedo.

— Onde está Jez?

— Ela deve ter fugido pelo túnel de ventilação.

Seguindo até o ponto onde Henk se desfizera, peguei a arma no chão e fiquei parado, sem saber por quê, apenas sentindo que era o certo. Passei a mão sobre o cabo de osso. Henk não tivera muito tempo para aproveitar a nova pegada fantasma.

Então, pendurando a bolsa no ombro, guiei Raio Lunar para fora da mina.

CAPÍTULO DOZE

★

Traição

Cambaleei, exausto, em direção ao túnel de saída. Raio Lunar, ao meu lado, estava com a cabeça baixa e, dessa vez, não estava fingindo. Nenhum de nós falou. Os lampiões de madeira fluorescente eram poucos e esparsos, e a maior parte do túnel estava escura e sombria, o que combinava com o meu estado de espírito. Eu tateava o caminho nas partes mais escuras, me arrastando em vez de caminhar pelo piso irregular, pensando a respeito do tiroteio, Jez e tudo mais.

O clique de um gatilho me arrancou dos meus pensamentos.

— Quem está aí?

Congelei, lutando para reconhecer a voz que vinha da penumbra. Era estranha, mas eu a reconheci, só que não era dali. Aliás, não tinha nada a ver com aquele lugar. Levantando a minha arma, apertei os olhos tentando enxergar na escuridão. O brilho arroxeado de um galho distante mal iluminava a figura que se aproximava de mim. Uma estrela de cobre brilhou em seu peito.

— Garoto? É você? — perguntou a figura.

— Xe... xerife Slugmarsh? O que você está fazendo aqui?

— Pelos espíritos! Diga-me que não estou vendo coisas.

— Eu... eu encontrei Noose — contei. — Ele está morto, esmagado embaixo de um ogro da terra, e ele não estava se escondendo. A mina de estanho não passa de um engodo. Ele reabriu a antiga mina de ouro de Klondex. Os pedremotos foram causados por ele. É tudo culpa dele. A ala oeste pode desmoronar a qualquer momento...

— Muita calma nessa hora, garoto. Você está me dizendo que Noose morreu?

— Atingi um ogro da terra com um dardo envenenado e ele caiu bem em cima do Noose.

— Me dê essa arma. Tudo ficará bem.

— Venha, você tem de ver isso.

Entreguei a arma e levei o xerife até a mina.

— Você me espanta, garoto! — exclamou Slugmarsh, olhando para a carnificina e, depois, para o pé de Noose que saía por baixo do ogro. — Parece que você não fez tudo errado. No final das contas, você não é louco.

Sob a luz fraca e roxa, vi seu rosto ficar vermelho. Ele suava muito e por isso tirou o chapéu, passando a mão pelas poucas mechas grudentas que cobriam a careca.

— No entanto, algo aqui não faz sentido — disse eu, franzindo a sobrancelha. — As minas profundas são sempre inspecionadas pela cavalaria celeste. Então, como isso podia estar acontecendo havia tanto tempo?

— Porque alguém não estava fazendo o trabalho direito. Mas você fez. Parece que tem bastante coisa do seu pai em você. — Um tom venenoso na voz do xerife me deixou alerta. O dente de ouro dele brilhou à meia-luz, quando riu ao acrescentar: — É pena, porém, que você não conseguirá receber a recompensa.

Senti um frio descer pela espinha.

— Como assim? O que quer dizer? O pôster dizia "vivo ou morto", embora eu não quisesse matá-lo.

— Eu nunca o quis morto. — A voz do xerife era zombeteira. — Seu mestiço metido a besta. Bem, agora ele *está* morto. Você o matou. E vai levar um tempão para eu arrumar a bagunça que você fez.

Raio Lunar bateu com os cascos no chão, relinchando, nervosa. Minha cabeça girava. Nada do que o xerife dizia fazia sentido.

— Bagunça? Eu não entendo. Você... Você está zangado...

— Zangado! — enfureceu-se Slugmarsh. — Oh, eu já passei e muito do ponto de estar zangado, garoto. Eu fiquei *zangado* quando você me acordou esfregando o pôster de Noose na minha cara.

Eu fiquei *zangado* quando você me fez de bobo na frente daquele cauda de chicote. Mas isto... matar um amigo meu e, ao mesmo tempo, causar um grande corte no fundo de aposentadoria de Slugmarsh. Oh, não. Eu já passei de zangado há muito tempo... Eu estou FERVENDO de raiva! — E, trêmulo de ódio, ele apontou a arma para mim.

Raio Lunar empinou, enquanto as patas dianteiras chutavam o ar, mas eu segurei suas rédeas.

— Não, Luna, deixa comigo.

Slugmarsh apontou a arma para ela, mas não atirou, quando percebeu que ela permitiu que eu a segurasse, mesmo que ainda continuasse arreganhando os dentes para ele.

— Vo... você e Noose? — gaguejei. — Você sabia de tudo?

— Será que você é idiota o suficiente para achar que ele poderia ter conseguido tudo isso sem que alguém soubesse? Não é mais a Rocha Central que inspeciona as minas profundas. Essa tarefa foi confiada ao xerife de Minerópolis há alguns anos.

— Noose reabriu a mina e você fez vista grossa?

— Ah, agora você começou a entender.

— Então, Eldon... Eldon descobriu! Ele contou para o papai, não foi?

— Aquele velho elfo louco contou tudo para o seu pai — desdenhou o xerife. — Disse que tinha descoberto o que estava causando todos os pedremotos. Que ele tinha ouvido barulhos vindos de algum lugar dos arredores da velha mina de ouro.

Slugmarsh pegou uma pequena garrafa de uísque Bafo Bafudo no bolso. Retirou a tampa e tomou um grande gole.

— É claro que o seu pai passou a informação para mim, começou a meter o nariz onde não era chamado, perguntou se eu tinha registro das inspeções da velha mina e cismou que deveríamos verificar. Eu disse que já tinha feito uma inspeção recente, mas ele ficou insistindo e não desistia.

Ele fez uma pausa e tomou outro gole. Olhei para ele e perguntei:

— E depois?

— Para me livrar dele, concordei em virmos juntos e combinamos de parar para ver o elfo. O que o seu pai não sabia é que eu avisara Noose para nos encontrar no meio do caminho e fingir que tentava assaltar o Expresso. Mas havia muita fumaça do trem e seu pai conseguiu dar um tiro em Noose, atingindo-o bem no ombro. Poderia tê-lo matado, não fosse...

— O quê? — Engoli em seco. — Não fosse o quê?

— Bem, com Noose ferido, fui obrigado a intervir. Como você pôde perceber, eu não podia contar com Noose para nada, afinal ele não passava de um troll idiota. Eu o deixei fugir do trem, fazendo uma cena para o pessoal que estava no vagão de primeira classe enquanto eu... metia uma bala no seu pai, para calar aquela boca enorme dele para sempre.

Arfei.

—Você assassinou o meu pai? O seu xerife suplente?

— Não tive outra opção, garoto. — Ele apontou a arma para a minha cabeça. Raio Lunar relinchou alto. — Assim como não tenho opção agora...

172

Olhei-o nos olhos e vi seu rosto se contorcer em uma careta mais feia do que o usual. A arma caiu da sua mão, e ele desmoronou no chão; uma conhecida faca com cabo de osso estava fincada na parte de trás do ombro dele. Fiquei ali parado enquanto os olhos pálidos de Jez piscavam na escuridão de um túnel de ventilação.

— Bem, não fique aí parado — disse ela. — Ajude-me a descer.

— Jez, para onde você foi?

— Eu estava fugindo pelo túnel quando percebi que não podia deixá-lo para trás. Então, voltei. Quem é este sujeito?

O suor brotava na minha testa.

— Acredite ou não, este é o xerife de Minerópolis. Foi ele que matou o meu pai, e não Noose.

Ajudei-a a descer, e ela o cutucou com os pés.

— Ele não está morto, ainda está respirando. — O som de vozes ecoou pelo túnel da mina, e Jez acrescentou: — É melhor você ir embora daqui. Os trolls mineradores não ficarão assustados para sempre. Logo, estarão de volta.

— É, já estou indo. — Peguei o medalhão, amarrei a extremidade arrebentada e o entreguei para Jez.

— Que bom, você achou!

— Noose deve ter deixado cair perto do moinho.

— Eu odiaria tê-lo perdido.

— Posso dar uma carona lá para fora, quer? — ofereci, pegando as rédeas de Raio Lunar.

Jez concordou com a cabeça, colocando o medalhão no pescoço.

Galopamos rápido, mas com cuidado, sem parar pelo labirinto de túneis mal-iluminados, depois pegamos o túnel principal

da mina de estanho. Passamos por alguns trolls mineradores, mas, por sorte, nenhum deles tentou nos deter. Meu coração saltou no peito quando passamos pelos portões de entrada da mina e pela estação de transporte de mercadorias, e seguimos para o túnel da Fenda Mortal.

— E agora? — perguntou Jez.

— Agora seguiremos para Rocha Central. Vamos visitar o Grã-xerife e contar a ele o que está acontecendo por aqui.

— É um voo bem longo. Acho que será bom se você tiver companhia — disse Jez. — E prometo não gritar no seu ouvido.

— Você quer vir comigo? Mas e o seu trabalho?

— Que se dane. Chega de esfolar os joelhos e andar de quatro como um rato da terra — disse ela. — Eu só preciso pegar umas coisas no meu baú de tesouros.

Perguntei-me como o Grã-xerife reagiria a um garoto aparecendo diante dele com uma história mirabolante de um fora da lei esmagado e um xerife corrupto, mas se fossem um garoto e uma garota, sendo que um deles trabalhava nas minas e testemunhara tudo, talvez as coisas ficassem mais fáceis.

Jez retomou o assunto:

— Além disso, Ax está morto e o lugar virou uma bagunça. Eu ficaria surpresa se ainda tivesse um emprego.

Dei-me conta de que a culpa de ela ter perdido o emprego era minha e me desculpei.

— Não precisa se desculpar. Foi preciso que algo assim acontecesse para me tirar dali antes de eu enlouquecer. — Ela apontou o dedo para mim. — E saiba que eu não sou maluca.

Sorri e me virei para Raio Lunar.

— Você pode vir com a gente, mas só se Luna topar levar outro passageiro.

Raio Lunar relinchou.

— Tudo bem, mas acho que precisamos partir agora. Já vai escurecer e teremos um longo voo até o topo da Grande Rochoeste.

Não falamos mais e, quando chegamos à extremidade da ala oeste, Raio Lunar levantou voo carregando não um, mas dois passageiros.

CAPÍTULO TREZE

★

Forte Mordecai

Voamos para o alto e avante, para onde o ar se aquecia e os tornados giravam a distância. Paramos perto da beirada da ala oeste para tomarmos um pouco de água gelada do riacho. Bebemos até nos satisfazermos e descansamos um pouco, observando a fumaça do Expresso que seguia para o interior em direção à Minerópolis e brilhava lá em cima no topo da rocha. Pensei sobre a minha casa e sobre Yenene, e parte de mim queria vê-la, só para me certificar de que estava bem. Mas eu não podia pensar nisso. Eu logo explicaria tudo a ela. O importante agora era encontrar o Grã-xerife o mais rápido possível.

Subimos ainda mais. Em certo ponto, dois cowboys celestes se aproximaram e gritaram:

— Para onde estão indo?

— Para o Forte da cidade Rocha Central.

— Tenham cuidado. Jovens como vocês não deveriam estar voando tão alto na Rochoeste. Principalmente com as tempestades que temos visto por aqui.

— Esperamos chegar lá antes do anoitecer — respondeu Jez.

— Então, precisam se apressar. — Ele ergueu o chapéu de cowboy, enquanto uma Raio Lunar bastante descontente começou a bater as asas mais rápido, parecendo ter interpretado o comentário dele como uma crítica à sua capacidade de voo.

— Não se chateie por causa dele, Luna. Os cowboys sempre têm algo a dizer sobre nada. Pelo menos, é isso que Yenene fala.

Voamos em silêncio por um tempo, até Jez berrar no meu ouvido.

— Sabe? Eu estava errada sobre você.

— Você disse que não faria isso.

— Estar errada sobre você?

— Não, berrar no meu ouvido.

Ela deu um tapa no meu ombro.

— Sinto muito, mas eu estava errada sobre você.

— Como assim?

— Sobre você ser um matador... Não, um caçador de recompensas.

— Tudo bem — respondi. — Acho que se eu fosse você também não teria acreditado em mim.

Por fim, vimos o cume da Rocha Central cortando o céu nublado. Enfim, tínhamos chegado. O panorama era de tirar o fôlego. Até aquele momento, eu só vira a Rocha Central lá debaixo, erguendo-se sobre Minerópolis diretamente das profundezas, como se não tivesse início ou fim. Contornando um afloramento, vimos uma linda cachoeira. As águas formavam arco-íris e caíam pela beirada da rocha em queda livre para o nada, os jatos atingiam

nosso rosto mesmo a distância.
Era muito bom depois de tanto
tempo subindo na poeira. Aquela
última parada para bebermos água
parecia ter acontecido havia bastante tempo.

As más notícias, como logo descobrimos,
eram que a beira da cidade Rocha Central era formada por uma terra pantanosa, pegajosa e vasta, perigosa demais
para um pouso, o que não era nada bom, considerando que Raio
Lunar precisava urgentemente descansar e matar a sede.

— Estou bem, vamos continuar — mentiu ela quando eu
disse isso.

Voamos além dos pântanos até um lugar que parecia seguro para se pousar e de onde conseguíamos ver os contornos da cidade a distância. Ainda assim, Raio Lunar insistiu que continuássemos.

A Rocha Central era uma cidade grande e cheia de gente de todos os tipos. Trilhos brilhantes corriam por um lado da cidade até a maior e mais bonita estação de trem que eu já vira na vida, a qual era encimada por uma torre com um enorme relógio no topo. Perguntei-me se marcava a hora certa — o relógio de Minerópolis estava com defeito havia anos. Carroças e diligências passavam, ruidosas, pelas ruas poeirentas que cortavam a cidade por entre as construções formando quadrados pequenos e perfeitos. Havia também calçadas de placas de madeira em volta de diversas lojas. Olhando para as ruas e prédios, parecia óbvio que as coisas tinham sido planejadas bem melhor aqui do que lá em Minerópolis, onde eu vivia.

Quando passamos por uma carroça preta, novinha em folha e brilhante, Jez elogiou:

— Uau! Acho que nunca vi uma carroça tão elegante.

Eu fiquei menos impressionado.

— Até posso ouvir meu pai: sempre que passávamos por uma carroça pretensiosa, ele dizia "essa nossa carroça velha vai nos levar para onde quisermos e já foi paga".

Na fronteira da cidade, tentamos pegar uma rua estreita, quando um velho bloqueou nosso caminho.

— Vocês são novos na cidade, certo? — perguntou ele com um sorriso.

Hesitei, mas Jez já estava concordando com a cabeça.

— É melhor irem andando. Não é bom passarem pelo quarteirão dos trolls antes do anoitecer. Os trolls não gostam nada disso.

— Por quê?

— Eles estão dormindo.

— Uau, isso é que eu chamo de dormir cedo — disse Jez.

— Dormir cedo? — riu o homem. — Eles dormem o dia todo porque os olhos deles são sensíveis à luz do sol, então, fazem algazarra durante à noite quando as pessoas comuns e decentes estão dormindo.

Já ouvira falar que os trolls não gostavam da luz do dia. Yenene dizia que era por causa das tendências malignas.

— Para onde estão indo?

— Para o Forte — respondi.

— Fica na subida da colina. Melhor pegarem a próxima rua e virarem à esquerda, passando pelo Cemitério da Rocha Central.

— Agradecemos as informações, senhor — disse eu, tocando a ponta do chapéu.

Seguimos as orientações dele e, quando passamos pelo cemitério lotado, vimos: Forte Mordecai.

O Forte tinha uma forma retangular, e era feito de madeira sólida e grossa. Era cercado por um canal, cheio de estacas afiadas que se erguiam lá de dentro, além de sacos de areia e trincheiras de pedra. Em cada um dos cantos, erguiam-se torres de observação, com soldados da cavalaria usando seus uniformes azuis com amarelo e armados com um rifle.

Nós nos aproximamos da sentinela que estava no portão da frente e desmontamos.

— Gostaríamos de ver o Grã-xerife — anunciei.

— E quem é você?

— Meu nome é Will Gallows e esta aqui é Jez.

— De onde vocês são?

— Minerópolis.

— O que querem com ele?

Eu tinha certeza de que aquilo tudo era apenas para intimidar e que não se tratava de um interrogatório oficial.

— Prefiro dizer a ele pessoalmente, se estiver tudo bem com o senhor. A informação que trago é muito delicada.

— O Grã-xe..

— E urgente — acrescentei.

Ele suspirou.

— Fiquem aqui.

Depois de um tempo, ele voltou e nos levou para dentro do Forte. Passamos pela guarita dos guardas e por um conjunto de construções de madeira. Senti o cheiro gostoso de tempero enquanto caminhávamos. Havia grupos de cavaleiros espalhados pelo forte: alguns limpavam rifles, pistolas e espadas; outros estavam consertando um telhado que parecia ter sofrido danos causados por uma tempestade; um grupo carregava sacos de mantimentos e equipamentos; e outro apenas conversava. Um soldado suado e calorento estava sentado engraxando a maior pilha de botas que eu já vira na vida. Um cavaleiro magricela, que deveria ser um ou dois anos mais velho do que eu, estava cuidando de um cavalo alado silencioso e negro, e se ofereceu para tomar conta de Raio Lunar (não que ela fosse a qualquer lugar, mas eu agradeci a ele).

O guarda bateu na porta de uma pequena cabana e desapareceu, voltando um tempo depois, dizendo-nos para entrar.

Jez e eu olhamos para o homem alto que estava de pé de costas para nós, olhando pela janela. Ele usava um casaco escuro que descia até a altura dos joelhos e, quando se virou para nós, vi que tinha um rosto amigável, cabelos e bigodes grisalhos e olhos azul-claros. O guarda permaneceu na porta com o rifle apoiado no ombro.

O homem alto estendeu a mão.

— Septimus Flynt, Grã-xerife da Grande Rochoeste.

Apertei a mão dele e ouvi todos os meus ossos estalarem.

— Obrigado por nos receber, senhor. Meu nome é Will Gallows, meu pai era Dan Gallows, o xerife suplente de Minerópolis. E esta aqui é Jez, uma trabalhadora da Companhia de Mineração Fenda Mortal.

— Prazer em conhecer o senhor — disse Jez, fazendo uma mesura bem estranha e só levantando a cabeça depois de eu cutucá-la com o cotovelo.

— Trazemos informações importantes da Fenda Mortal, senhor — comecei. Eu havia preparado o que diria durante o longo voo da Fenda Mortal, mas isso não me fez ficar mais calmo quando comecei a falar. — A mina de ouro Klondex, nas minas profundas, foi reaberta por um fora da lei chamado Noose Wormworx.

O Grã-xerife ergueu as sobrancelhas.

— Reaberta? E como você sabe?

— Estivemos lá, senhor. Vimos com nossos próprios olhos. Noose tentou nos matar, mas conseguimos escapar. Houve um tiroteio e Noose morreu.

— Noose está morto?

— Durante a confusão, acertei um ogro com um dardo envenenado e ele caiu bem em cima de Noose.

— Isso não faz o menor sentido — interveio o guarda, dirigindo-se ao Grã-xerife. — Com todo o respeito, senhor, todo mundo sabe que aquela mina é impenetrável. Seria impossível reabri-la. Essas crianças estão inventando essa história, é o que eu acho.

O Grã-xerife ergueu a mão.

— Talvez, mas até mesmo crianças teriam de ter muita imaginação para inventar uma história dessas. Além disso, eu conhecia o pai do garoto.

Vi o guarda me lançar um olhar de deboche e continuei:

— Muito obrigado, senhor. Depois do tiroteio, eu encontrei com o xerife Slugmarsh. A princípio, ele parecia satisfeito comigo, dizendo que eu tinha feito um ótimo trabalho, mas depois ele mudou. Ficou bastante zangado, e eu não consegui entender o motivo até ele me contar tudo.

— Contar o quê?

— Que ele e Noose trabalhavam juntos, que Noose estava pagando a ele para fingir que realizava as inspeções nas minas profundas.

Tive certeza de que detectei uma expressão de descrença no rosto do Grã-xerife.

— Cleef Slugmarsh é xerife de Minerópolis há mais de trinta anos — disse ele. — Ele é o xerife mais respeitável que já...

— Slugmarsh é desonesto e assassino — interrompi. — Ele matou o meu pai e me confessou tudo quando estava prestes a me matar também. Se não fosse por Jez, eu estaria morto. — Senti o meu rosto queimar de raiva, mas lutei contra isso. O Grã-xerife não iria querer ouvir uma pessoa alterada no seu escritório. Eu tinha de me controlar.

O guarda deu um passo na nossa direção, mas o Grã-xerife ergueu o braço.

— Continue.

Respirei fundo e, com calma, contei sobre a habilidade de Jez em atirar facas e como ela ferira Slugmarsh. Contei também sobre Eldon e seu dispositivo para medir os tremores e sobre como papai se metera no meio daquilo tudo.

Depois que terminei, seguiu-se um longo silêncio. O Grã-xerife passou a mão pelo rosto. Quando falou, sua voz estava cheia de autoridade e ele me chamou pelo meu nome.

— Essas são alegações muito sérias, jovem Will. Um xerife desonrando seu distintivo é uma quebra de confiança do pior tipo. Além do que você nos contou, a reabertura da mina ameaça a estabilidade da ala oeste. Milhares de vidas podem estar em risco. Sua história precisa ser averiguada imediatamente. Quero que vocês dois fiquem aqui no Forte. Vamos entrar em contato com os pais de vocês para informá-los de que estão bem. — Ele parou ao nos ver meneando a cabeça.

— Não tenho pais — declarou Jez.

— Eu moro com a minha avó, mas prefiro contar para ela depois que tudo estiver resolvido. Não quero preocupá-la.

— Tudo bem. Comam alguma coisa. O guarda mostrará para onde devem ir. E acho que deveriam fazer uma visita ao Dr. Holliday. Vejo vocês depois.

Sem dizer nada, o guarda nos guiou pelo forte até outra cabana, onde nos serviram torta de carne e legumes. Depois, fomos ao médico, que cobriu nossas mãos e joelhos com pomada que fez arder como a picada de uma cobra, mas que, depois, deixou uma sensação boa. Estávamos no estábulo visitando Raio Lunar quando o Grã-xerife apareceu.

— Como estava a torta?

— Boa.

— Melhor que boa — respondeu Jez, lambendo os lábios.

— Verificamos a delegacia de Minerópolis e não havia sinal de Slugmarsh. Uma pessoa nos informou que ele já está sumido há algum tempo. Vamos partir amanhã de manhã, quando os trolls tiverem ido dormir. Não queremos eles metendo o nariz nos nossos assuntos.

— Entendo.

— Nesse meio-tempo, organizarei um grupo de homens para separar o equipamento necessário para lacrarmos novamente a mina. Vocês dois merecem um bom descanso. Assim como esse seu lindo cavalo. Vocês foram levados à sua cabana?

— Ainda não.

— Então, venham comigo. Vou levar vocês até lá.

— Gostaria de ir com você amanhã — disse eu, enquanto saíamos do estábulo.

— Eu também — acrescentou Jez.

Ele franziu as sobrancelhas.

— Vocês têm certeza? Pode ser bem perigoso. Mesmo com Noose morto, não podemos achar que os trolls simplesmente nos deixarão entrar sem resistência.

— Você ouviu a nossa história. E nós podemos mostrar onde Slugmarsh está.

— Bem, não posso dizer que não seria útil ter vocês conosco.

— Paramos do lado de fora de uma pequena cabana de madeira.

— Aqui estamos. Então, nos veremos de novo amanhã de manhã, bem cedo.

O interior da cabana era bem simples, mas limpo, e havia duas camas bem confortáveis sob uma janela pequena.

— Já está escurecendo — comentei.

Jez pulou na sua cama.

— É, nós conseguimos.

— O que você acha do Grã-xerife?

— Gosto dele.

— Será que ele é corrupto também?

— Acho que não. E você?

— Não o xerife, talvez o guarda, mas não sei.

— Pode ser. Quem aquele guarda pensa que é para meter o bedelho onde não é chamado?

— Acho melhor dormirmos agora — sugeri. — Amanhã será um grande dia.

— Acho que não consigo — disse Jez. — Não estou cansada.

Eu estava. Deitei na cama e fechei os olhos até que ouvi Jez se levantar.

— Aonde você vai?

— Dar uma volta.

Suspirei e virei para o lado, mas não demorou muito para a minha curiosidade levar a melhor e, com outro suspiro, me levantei e a segui para fora da cabana.

Jez cruzara o pátio e subira uma escada até a torre de observação. Eu subi logo atrás dela. A sentinela nos cumprimentou e depois lançou um olhar ansioso para o pátio.

—Vocês não deveriam estar aqui — disse ele em voz baixa. — Se o Grã-xerife vir vocês aqui, vou ter problemas.

— Ah, só um pouquinho! Por favor — implorou Jez.

—Vocês são as crianças que vieram ver o Grã-xerife?

— Somos. — Olhei para a Rocha Central. A vista era espetacular. Meus olhos foram atraídos para uma rua barulhenta quase na fronteira da cidade. — Que tumulto é aquele ali, do outro lado da cidade?

O guarda sorriu.

— É o quarteirão dos trolls abrindo seus negócios: bebidas, brigas e dança até o amanhecer. Talvez até tenha outra confusão como a da semana passada.

— Confusão?

— Melhor acreditar. Está se tornando cada vez mais frequente.

— A cidade está mudando para pior. Os trolls estão invadindo o lugar. Falando nisso, vocês vão para a Fenda Mortal amanhã de manhã, não é?

— É, vamos voltar para lacrar as minas profundas.

— É uma viagem e tanto. É melhor descansarem.

Percebi que já não éramos mais bem-vindos ali e cutuquei Jez.

—Vamos voltar agora. Boa-noite.

— Boa-noite. E fique esperto amanhã naquele buraco do inferno.

CAPÍTULO CATORZE

★

Fúria dos trolls

N a manhã seguinte, acordei cedo, feliz por ver que já era dia. Não tinha dormido bem. Os sons da noite — um piano distante, vozes de trolls discutindo e tiros — agora haviam sido substituídos pelo som de cascos de cavalo e vozes dos soldados da cavalaria.

A cama de Jez estava vazia, mas isso não me surpreendia. Era como se ela não precisasse dormir. Levantei-me. Minhas pernas estavam doloridas por ter engatinhado tanto pelos túneis de ventilação e eu manquei até a porta como um velho.

Do lado de fora, mesmo sendo bem cedo, parecia que todos os soldados já estavam de pé e ocupados com as atividades diárias do Forte. Alguns carregavam pás e enxadas e cordas grossas, e imaginei que aquilo tudo seria usado para lacrar novamente as minas profundas. Reconheci alguns deles e os cumprimentei.

Encontrei Jez na cabana de refeições junto com alguns outros soldados, comendo o prato cheio de feijão e ovos e bebendo café.

— Ah, então você acordou. — Ela sorriu antes de comer mais uma garfada de feijão.

Uma senhora de rosto gentil trouxe um prato para mim e uma caneca de café.

— Não consegui dormir muito — comentou Jez, como se sentisse o meu estado meio grogue. — É bem mais silencioso lá no platô. Isto é, se não houver tempestades. O Grã-xerife perguntou se ainda estamos decididos a ir com ele.

— O que você disse?

— Que claro que sim, que queria ver alguém tentar nos impedir.

Eu sorri.

— Quando partimos?

— Daqui a pouco, assim que acabarmos de comer.

Depois do café da manhã, Jez voltou à cabana e eu fui me encontrar com Luna. Ela já estava selada e ao lado de vinte ou mais cavalos carregados de equipamentos. Os soldados se ocupavam em verificar as ferraduras e em amolar as espadas.

Luna não gostava de bater papo na frente de outros cavalos, mas, afastando-me, ela disse baixinho:

— Queria que meu pai pudesse me ver agora. Sabia que vários dos outros cavalos acharam que eu era um novo integrante em treinamento para a cavalaria celeste? Dá para acreditar?

— Claro que sim, Luna. Você tem tudo que um bom cavalo da cavalaria celeste precisa: coragem, força, e você voou até a Rocha Central sem reclamar.

Ela relinchou, e eu sabia que isso significava que alguém estava chegando. Eu me virei. Era o Grã-xerife.

— Esses são os equipamentos mais leves — disse ele, chegando por trás de mim. — Os mais pesados seguiram mais cedo de trem até a Fenda Mortal. Estarão lá nos aguardando na estação de transporte de mercadorias. Dormiu bem?

— Dormi, sim. E o café da manhã estava ótimo. Muito obrigado.

— Duvido que vá querer, mas se quiser dar um descanso para seu excelente cavalo e voar em um dos nossos, posso providenciar.

— Eu agradeço, mas Luna não perderia isso por nada desse mundo.

— E sua amiga?

Pensei em Jez berrando no meu ouvido. Com certeza, seria bem mais silencioso se ela voasse com os soldados. Mas eu sabia que ela preferiria estar conosco.

— Tudo bem, a descida é mais fácil e Luna se sairá bem carregando nós dois de novo.

O Grã-xerife não parecia disposto a ficar aguardando e logo saímos pelos portões do Forte, levantando poeira atrás da gente.

Senti uma onda de orgulho por estar passando pela Rocha Central com a cavalaria celeste em seus uniformes elegantes e entre os dois porta-estandartes que carregavam bandeiras amarelas brilhantes.

Perto da beirada da rocha, o Grã-xerife deu ordens para nos prepararmos para levantar voo e, mantendo formação com os demais, segurei as rédeas de Raio Lunar e começamos a galopar.

O voo de descida pareceu bem mais rápido. Se ainda não podia me considerar um cavaleiro celeste, eu estava me tornando rapidamente um cowboy celeste, reconhecendo alguns dos penhascos

e sulcos que marcavam a face da rocha apenas por tê-los vistos ontem. Não paramos na ala oeste, mas mantivemos o voo. Luna nem piscava. Sabia que, mesmo que estivesse com sede, não permitiria que os outros cavalos notassem.

No túnel para a Fenda Mortal, o Grã-xerife ergueu o braço e declarou:

— Dei ordens para a Companhia Ferroviária para deixar o trem parado na Fenda Mortal até que todos tenhamos passado com segurança.

E, pousando, ele mergulhou no buraco, e o restante de nós o seguiu em uma fila.

Passamos pelas catacumbas, e eu tinha certeza de ter ouvido a risada maníaca de Henk ecoar entre os túmulos. Mais cedo, eu informara ao Grã-xerife sobre a grande quantidade de estalacas nos túneis e ele me certificou que dois escoteiros seguiriam na frente para lidar com esse tipo de horrores.

Quando nos aproximamos, notei que a mina de estanho estava estranhamente calma. Os portões de ferro encimados por crânios estavam abertos e não havia sinal de nenhum guarda troll forte na entrada. Alguns homens saíram do grupo e seguiram até a estação de transporte de mercadorias para pegar o restante do equipamento. Deixei Luna na entrada, e Jez e eu seguimos em um grupo bem atrás do Grã-xerife. Não gostei da expressão no rosto dele. Eu tinha quase certeza de que ele pensava o mesmo que eu: onde estava todo mundo? Até aquele momento, as únicas pessoas que tínhamos visto eram alguns trolls zombeteiros no subúrbio da Fenda Mortal enquanto passávamos, obviamente insatisfeitos com a nossa invasão.

Continuamos nossa marcha; o barulho do casco dos cavalos, o arranhar das rodas das carroças e o trovejar das botas dos soldados eram os únicos sons que ouvíamos na penumbra.

Por fim, chegamos ao fim do túnel principal e entramos em uma caverna bem-iluminada com três outros túneis se formando a partir dele — um dos quais era o que eu tomara no dia anterior quando me deparara com a ira da mina. Informei ao Grã-xerife que o túnel mais largo era o que levava até as minas profundas.

Então, eles atacaram.

Ouvimos um rugido alto atrás do grupo. Com o coração disparado, eu me virei; um degrau em uma rocha da parede da mina me forneceu um meio de ter uma visão por sobre os outros soldados. O rugido não era de uma ira da mina, mas sim de um bando de trolls nervosos e raivosos: o som gutural das gargantas e o sibilar dos barriga de serpente encheram o ar sem vida da mina que, de repente, virou um caos.

Um único tiro ensurdecedor fez o Grã-xerife gritar:

— Guardem seus revólveres! É perigoso demais, os ricochetes podem nos matar a todos. Usem as espadas! Usem as espadas!

Ouvimos o clangor agudo do metal das espadas sendo desembainhadas, seguido pelo som de metal batendo contra metal, espadas contra enxadas, seguido por gritos e berros.

Emboscada. Tudo estava quieto demais por um motivo. O Grã-xerife já estava com sua espada em punho e correu por entre os outros homens em direção ao coração da batalha. Ele já estava esperando por aquilo, pensei.

Mas não havia tempo para pensar, pois do mais largo dos três túneis saiu da penumbra outro bando de trolls, todos armados com enxadas, martelos, marretas e pás. Um deles se separou do grupo e veio na minha direção. Aterrorizado, eu me agachei, bem na hora em que o machado se enterrava na pedra acima da minha cabeça, espalhando fragmentos de pedra e poeira sobre meu ombro e pescoço. O troll praguejou, puxando o machado. Ele golpeou de novo, só que com mais ferocidade, esperando cortar a minha cabeça em duas partes, mas eu consegui desviar para o lado, caindo no chão. Olhei para cima e vi o troll sibilar alto e erguer o machado sobre a cabeça, sorrindo ao pensar que acabaria comigo. Em desespero, acertei a sola das botas com toda força nos joelhos do troll, ouvindo-o quebrar com o impacto. Ele gritou de dor, cambaleando para trás em uma dança de sofrimento. Eu logo fiquei de pé, agarrando um galho de madeira fluorescente do suporte da parede e o aproximando do rosto do atacante para desorientá-lo por tempo suficiente para roubar sua arma.

— Você pegou ele — ouvi Jez gritar em meio a uma minibatalha com um troll desengonçado. Ela segurava uma espada e se movia diante dele. Ele agarrou uma pá e imitou os movimentos dela, mas logo se cansou da brincadeira e partiu para cima de Jez, mas ela era rápida demais para ele e facilmente se desviou do golpe.

Um troll brandindo um martelo veio em minha direção e eu me preparei, segurando a minha arma, mas, para o meu alívio, vi que a barriga dele estava empapada de sangue e ele caiu aos meus pés.

Ofegante, olhei em volta. A mina estava cheia de trolls mortos. Será que estávamos ganhando? Desse lado, pelo menos. Não dava para ver como o Grã-xerife estava se saindo mais ao fundo do túnel.

— Will, atrás de você! — avisou Jez.

Eu me virei por instinto, inclinando e erguendo o meu machado. Rosnando, o troll atacou de novo com fúria. Senti a força se esvair dos meus braços à medida que ele me golpeava repetidas vezes. Jez tentou me ajudar, lançando sua espada contra ele, mas o troll era implacável. Fui andando para trás até que atingi a parede da mina e não podia me esquivar mais. Com um sorriso nos lábios, ele se aproximou. Nesse momento, duas ou três pontas de espada apareceram na penumbra, bloqueando seu caminho, depois quatro... cinco, com o brilho arroxeado da luz da madeira fluorescente e, de repente, eu me dei conta de que um silêncio repentino tomara a mina. O troll praguejou e largou a arma enquanto os soldados o cercavam. A batalha terminara.

— Você está bem? — Jez apareceu por entre o grupo de soldados, com os olhos arregalados e o rosto coberto de suor, ainda segurando firme a espada.

— Estou bem. E você?

— Também.

O Grã-xerife caminhou, ofegante, até a luz. Seu rosto estava sujo de sangue e poeira.

— Graças aos espíritos, vocês, garotos, estão bem. Sinto muito ter deixado vocês. Eu não contava com um ataque por duas frentes.

— Tudo bem, nós conseguimos segurar os vermes — disse Jez. — Esse lugar parece mais um cemitério de trolls.

— Nós bem que poderíamos tê-los conosco na cavalaria celeste.

Eu não acreditava nos meus ouvidos. O Grã-xerife reconheceu que seríamos bons soldados na cavalaria celeste. Olhei para Jez e seu rosto estava brilhando sob a sujeira. Eu apenas queria que papai ainda estivesse vivo. Eu sabia que ele teria ficado orgulhoso se tivesse ouvido aquilo.

O Grã-xerife informou que tínhamos perdido três homens e que alguns feridos estavam sendo levados de volta à entrada. Vinte trolls haviam sido mortos.

— Isto foi um desperdício de vida — acrescentou ele. — Esses trolls não tinham garra, eram um bando desalentado.

Eu não acreditei no que estava ouvindo. Achei que o meu troll lutara com muita garra.

— Está bem claro que muita coisa aconteceu aqui. Há um ar de confusão e de medo. — Ele embainhou a espada. — Vamos avançar até as minas profundas e acabar com essa questão. Depois vamos nos reunir com o prefeito da Fenda Mortal.

Avançando pelo labirinto de túneis, logo chegamos às minas profundas e, ansioso, entrei pela segunda vez na grande caverna. Meu olhar foi imediatamente atraído para o seixo do moinho que quase esmagara todos os meus ossos, e para trás dele, onde jazia o ogro, sem respirar.

O Grã-xerife não perdeu tempo, dando ordens aos homens para lacrarem a mina. Os carrinhos foram descarregados e cordas amarradas nas vigas de madeira e suporte do teto que, quando puxadas por cavalos fortes, fariam com que o teto ruísse, bloqueando a mina para sempre.

Eu estava caminhando perto da parte externa da caverna quando senti uma corda apertar os meus ombros. Meu primeiro pensamento foi que um dos soldados da cavalaria estava me pregando uma peça, mas rapidamente dei-me conta de que algo não estava certo quando o laço foi puxado dolorosamente em volta da parte de cima dos meus braços, enterrando-se na minha pele. Sentindo o cheiro de uísque Bafo Bafudo, eu me virei para ver o rosto do meu captor aparecer de uma alcova, e um dente de ouro brilhou sob a luz da madeira fluorescente: Slugmarsh!

Com o coração disparado, senti um frio na espinha. A última vez que eu o vira, ele estava deitado no chão da mina próximo ao túnel de ventilação com a faca de Jez fincada nas costas. Parece que ele se recuperara muito bem — e, julgando pela expressão raivosa em seu rosto, aquilo o deixara ainda mais zangado.

Ele apontou a arma para a minha cabeça.

Aos pés dele, notei uma bolsa de montaria cheia de ouro.

— Ora, se não é o Grande e Poderoso Grã-xerife Septimus Flynt em pessoa para resolver tudo — disse ele de forma arrastada, amarrando-me como um bezerro desobediente.

Ouvimos o som agudo de espadas sendo desembainhadas, mas o Grã-xerife fez um sinal para que aguardassem.

— Alguém precisava fazer isso, Slugmarsh. Você certamente não está fazendo o seu trabalho. Era sua obrigação se certificar de que as minas profundas continuavam lacradas, e não ajudar um troll barriga de serpente a reabri-las.

— Vi que você conseguiu sobreviver à pequena emboscada que preparei para você. Eu devia saber que aqueles trolls estúpidos não conseguem fazer nada direito.

O Grã-xerife deu alguns passos cautelosos em nossa direção.

— Por quê, Slugmarsh? Por que você desonrou seu distintivo?

— Para trás, Flynt, ou estouro os miolos do garoto.

— Acabou. Você já se divertiu. Agora desista. Você está ferido, precisa de um médico.

— Que acabou que nada. E o que eu preciso é que você saia do meu caminho. — Ele cuspiu. — Esta mina não é mais sua. O que entra no quarteirão dos trolls fica no quarteirão dos trolls.

— Não se afeta toda Rochoeste — argumentou o Grã-xerife.

— Todo aquele lance de a mineração enfraquecer a Rochoeste não passa de balela. A Fenda Mortal foi construída dentro de uma caverna embaixo da Rocha Central, ainda assim, não vejo a cidade começar a afundar. — A voz dele mudara e parecia carregar um tom de desespero. — Poderíamos gerenciar esta mina de ouro juntos, Flynt. Pense nisso. Ficaríamos ricos; podres de ricos.

— Não banque o idiota, Slugmarsh. Você sabe tão bem quanto eu que as minas profundas ficam na parte mais fina da Rochoeste, onde a ala oeste se junta ao restante da Grande Rochoeste. Se estas minas não forem fechadas, as consequências serão desastrosas.

— Você é um idiota, Flynt, um maldito idiota.

— Vejo que está planejando fugir levando algumas pepitas na sua sela. — O Grã-xerife apontou para a sacola aos pés de Slugmarsh.

— Parece que eu não tenho muita escolha. Agora, se nos dão licença, eu e o garoto sairemos para um passeio. — Ele pegou a bolsa de montaria e a jogou no cavalo mais próximo. — Suba no cavalo.

—Você não poderá fugir para sempre, Slugmarsh — avisou o Grã-xerife. —Vamos pegá-lo. Pode contar com isso.

Joguei-me na sela do cavalo da cavalaria. Então, Slugmarsh montou atrás de mim e empurrou a minha cabeça contra a crina do animal.

— Divirtam-se, rapazes. Tenham cuidado para que essa bosta toda não caia em cima de vocês. Ah, e nem pensem em me seguir. Se eu ouvir um cavalo atrás da gente, o garoto morre.

Depois, as paredes sombrias da caverna e lampiões de madeira fluorescente passaram como um borrão pelos meus olhos enquanto galopávamos para fora das minas profundas, passando pelos corpos sem vida dos trolls mineradores.

Slugmarsh apertava o meu pescoço, mantendo o meu rosto contra a crina do cavalo com tanta força que eu estava tendo dificuldades de respirar, e a corda, que estava apertada demais, se enterrava cada vez mais na minha pele. Fiquei tonto e enjoado enquanto passávamos rapidamente pelos túneis das minas profundas, pela mina de estanho e, por fim, pela entrada da mina, e seguimos pelo túnel da Fenda Mortal.

Tínhamos acabado de sair do túnel e alçado voo a céu aberto, quando uma coisa louca aconteceu. Slugmarsh empurrou a minha cabeça de novo contra a crina do cavalo e eu senti uma onda repentina de raiva. A corda que me prendia estava ao redor da parte superior do meu braço e eu conseguia mexer o antebraço sem problemas, então levei a mão direita até a corda em uma tentativa de aliviar a pressão do lado esquerdo, quando senti uma sensação forte de formigamento. Eu nunca sentira aquilo, e a sensação ficava cada vez mais intensa — como uma queimadura, mas não da corda e sim das minhas mãos.

A coisa natural a se fazer seria soltar a corda, mas não fiz isso; na verdade, eu a segurei ainda mais forte, até que as fibras começaram a ficar negras e a se romperem sob os meus dedos. Senti o coração disparar, enquanto a minha mente tentava entender o que acabara de acontecer. O que era aquilo? Será que eu carregava comigo algum tipo de magia elfa que eu desconhecia? O velho elfo que conjurou fogo com as mãos no Expresso veio à minha mente. Momentos mais tarde, com uma baforada de fumaça, a corda arrebentou, e eu, como por milagre, estava livre. No entanto, tive apenas alguns instantes para lidar com o meu recém-descoberto poder, pois, com um apito agudo, o Expresso de repente apareceu, trovejando em torno de uma ladeira bem atrás da gente. O cavalo relinchou alto, esticando o pescoço e batendo as asas mais rápido, e tudo isso enfureceu Slugmarsh, que açoitou o animal com o chicote. Senti pena do cavalo. Uma chicotada firme podia cortar a pele ou, na melhor das hipóteses, deixá-la sensível ao toque por dias.

— Muito bem, garoto, é aqui que você desce — disse ele e me empurrou, esperando que eu caísse como um bezerro indefeso. Mas eu usei meus dois braços livres, tateando às cegas, tentando me segurar na sela, ou em qualquer outra coisa. Infelizmente, o que consegui segurar foi a alça da bolsa cheia de ouro. Ouvi Slugmarsh praguejar, enquanto ele assistia à sua fortuna se esvair diante de seus olhos.

Caí como uma águia cortando o ar durante um mergulho.

Paralisado de medo e com a visão embaçada, esperei atingir algum afloramento rochoso ou o chão. Por milagre, não aconteceu isso e, na verdade, caí no teto do Expresso, ainda segurando o ouro.

Slugmarsh se aproximou. O cavalo, intimidado pelo chicote, se entregou; voando baixo sobre o vagão, onde eu estava estatelado. Observei o xerife desmontar quando o cavalo ainda estava voando, mantendo um pé no estribo. Quando ele estava baixo o suficiente, saltou sobre o vagão. Fiquei surpreso por ele não ter aberto um buraco no teto e caído direto dentro do trem, mas realmente era esperar demais da sorte. Agarrando sua pistola blaster de seis rotações, ele se ergueu, lutando para se equilibrar sobre o trem

em movimento, sob os fortes ventos que sopravam. A camisa estava manchada de sangue do ferimento a faca, assim como o rosto, onde ele havia passado a mão ensanguentada. Minhas costas doíam devido à queda. Ainda assim, consegui me levantar — apenas para dar de cara com o cano da arma de Slugmarsh.

— Passe o ouro!

— Para você atirar em mim? Não.

— Não tenho tempo para heroísmo agora, garoto. Passe a bolsa para cá!

Eu a segurei sobre a beirada do trem.

—Atire em mim e eu e o ouro cairemos direto em Desolação.

— Eu deveria ter metido uma bala em você quando tive a chance. Ou talvez quando você foi à delegacia — gritou Slugmarsh. Seu dente de ouro brilhava sob a luz do sol.

—Talvez sua capacidade de decisão não seja mais a mesma — provoquei.

— Passe o ouro AGORA!

Slugmarsh, com o rosto cada vez mais vermelho, esticou o braço e começou a apertar o gatilho.

— Naaaeeeeeeeeeee! — Raio Lunar relinchou alto e agudo, vinda não sei de onde em direção a Slugmarsh, suas patas dianteiras esticadas. Ele se virou e baixou a cabeça, mas perdeu o equilíbrio. Caiu de lado, soltando a arma e rolando por sobre o parapeito, e foi parar na lateral do trem. Ele agarrou o parapeito e ficou balançando sobre o vazio abaixo.

Engatinhei na direção dele, oferecendo a mão, mas ele cuspiu nela.

— Se você fosse um matador de aluguel, já teria acabado comigo. Mas nem isso você consegue fazer direito, não é? — provocou ele.

Retirei a minha mão.

— Se você fosse um xerife de verdade, eu não teria de fazer isso.

O apito do trem soou, enquanto fazia a curva para contornar uma rocha.

— Muito honrável, você, garoto. Falou como o futuro xerife de Minerópolis. Só que Minerópolis não tem futuro. Klondex e Noose atingiram o centro da raiz da ala oeste. Principalmente Noose, que fez um serviço muito malfeito depois da reabertura. É só uma questão de tempo...

Uma lufada de vento nos atingiu e a barra de metal rangeu sob o peso do xerife.

— Mas eu... Esse não é o meu fim. Não, senhor. Pretendo voltar para me vingar de você...

Com um som metálico repentino, um lado da barra se soltou do teto do trem e balançou para a frente e para baixo, levando-o consigo. Suas mãos foram escorregando lentamente em direção à extremidade solta.

— Melhor acreditar, garoto — continuou ele. —Voltarei como a maior e a mais horrenda ira que já viu para assombrá-lo. — Ele se aproximava da ponta da barra e se segurava agora apenas com uma das mãos, o corpo balançando ao vento. — Assombrarei você no meio da noite. — Lentamente sua mão foi escorregando pela barra. — Bons sonhos, garoto! — E ele caiu no precipício. — Bons sooooooonhos!

Sentei-me e abracei os joelhos, olhando por sobre a beirada do trem, vendo Raio Lunar pousar no vagão. Atrás dela vinha outro cavalo alado — o do Grã-xerife.

Ele desmontou e caminhou até mim, perguntando:

— Ele fugiu?

— Caiu no precipício — gritei em reposta.

— Um castigo merecido. Você está bem?

— Estou, sim.

Ele olhou para a bolsa de couro marrom aos meus pés.

— Vejo que ele não levou o ouro com ele.

— Está tudo aqui, senhor.

— Levaremos isso de volta ao Forte e faremos bom uso dele. Talvez consigamos fortalecer a ala oeste e minimizar os danos da mineração.

— E a mina? — quis saber.

— Está quase pronta. O lugar está sendo enterrado enquanto falamos. Acabou, Will. Podemos ir para casa.

Raio Lunar estendeu as asas e caminhou devagar na minha direção.

— Eu gostaria muito disso.

Erguendo-me, acariciei o pelo entre suas orelhas.

— Eu também.

CAPÍTULO QUINZE

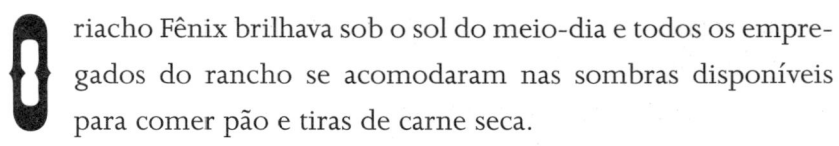

★

Calmaria depois da tempestade

O riacho Fênix brilhava sob o sol do meio-dia e todos os empregados do rancho se acomodaram nas sombras disponíveis para comer pão e tiras de carne seca.

Estávamos sentados na cozinha: eu, Yenene, Jez e o Grã-xerife — que me acompanhara de volta para casa com alguns soldados. Yenene evitava o meu olhar; ela quase não falara comigo desde que eu chegara. Também não ajudava muito o fato de o Grã-xerife não estar com a menor pressa para voltar ao Forte Mordecai, e agora estava sentado descalço devorando um prato de cozido.

— A senhora cozinha muito bem — elogiou ele, comendo outra garfada.

— Com certeza ainda levará um tempo até eu entender tudo que aconteceu — repetiu Yenene pela milésima vez. — Ele disse que ia pescar. E ainda me fez perder tempo assando uma torta para o seu tio que mora na Vila Repolho Alegre.

— Não seja dura demais com o garoto. Ele não apenas nos livrou de um dos maiores bandidos da Rochoeste, como também salvou toda a ala oeste de se soltar da rocha como um galho podre de madeira fluorescente.

Eu tinha mesmo feito aquilo tudo?, perguntei-me. *Minerópolis está acabada!*, as palavras de Slugmarsh ecoaram na minha cabeça. Não havia dúvidas de que os tremores estavam mais frequentes e, mesmo que o Grã-xerife conseguisse fortalecer de alguma forma a ala oeste, eu me perguntava quanto tempo ainda tínhamos antes que ela despencasse sobre Desolação... Anos? Meses? Dias?

— É claro que ele terá a sua recompensa — continuou o Grã-xerife.

Yenene franziu o cenho, retirando uma panela do forno.

— Recompensa?

— O garoto não matou Noose, mas foi o responsável por sua queda, então, a recompensa oferecida pela cabeça de Noose cabe a ele.

Achei que talvez isso a amolecesse um pouco — o teto do celeiro estava prestes a ruir e precisava urgentemente de conserto —, mas ela apenas serviu mais um pouco de cozido para o xerife, respondendo:

— Não posso pensar sobre isso agora.

Terminando o meu almoço, levantei-me:

— Vou começar as minhas tarefas, vovó. — Eu estava feliz por sair daquela atmosfera pesada.

— Jez, você quer conhecer o rancho?

— Claro. — Ela levou nossos pratos para a pia. — Obrigada pelo almoço, senhora.

Quando passei pelo Grã-xerife, ele estendeu a mão com um sorriso e eu a apertei.

—Adeus, senhor.

— Adeus, Will, e muito obrigado. Você é bem-vindo para nos visitar sempre que quiser. Sabe, eu ofereci um emprego para Jez na cozinha do forte.

Eu não sabia daquilo e a notícia tirou um pouco da tristeza que eu sentia desde que chegara em casa. Jez era uma boa amiga e eu estava preocupado de ela ter de voltar para Desolação ou para algum outro lugar onde eu talvez nunca mais a visse.

O Grã-xerife continuou:

— Você talvez possa até querer pensar sobre se juntar a nós qualquer dia, a cavalaria celeste sempre precisa... — Mas ele parou quando Yenene lançou um olhar zangado para ele.

Jez e eu saímos e seguimos para o estábulo.

— Como está Luna? — perguntou ela.

— Está bem. Cansada, mas bem.

Entramos para vê-la e a encontramos encolhida, dormindo sob o feno.

— Então, você vai trabalhar no forte?

— Por um tempo, sim. Mas não tenho muita certeza sobre cozinhar. Gostaria de trabalhar com os cavalos. Adorei poder passar um tempo com a Luna. E você? O que vai fazer?

— Quero aprender a magia dos elfos — respondi. — Não sou burro de perguntar para a vovó agora, enquanto ela está mais zangada do que uma cobra cascavel. Mas quando as coisas acalmarem, vou visitar meu tio Lobo Louco na Vila Repolho Alegre e conversar com ele. Isso poderá me ajudar, se eu entrar em apuros no futuro...

— Você planeja caçar mais recompensas? Pois, se planeja, vou com você.

Meneei a cabeça.

— Não, mas, se eu fosse, eu chamaria você. Somos um bom time.

— Parece que você ficará bem ocupado agora.

Suspirei.

— Com a marcação do gado.

Ela levou a mão ao medalhão de escorpião no pescoço e sorriu.

— Obrigada pelo presente.

— De nada.

Caminhamos por entre as construções do rancho por um tempo: apresentei Jez a alguns dos trabalhadores do rancho, até que ouvi um tumulto na frente da casa principal e me dei conta de que o Grã-xerife e os outros soldados se prepa-ravam para partir. Yenene não estava com eles.

— É melhor eu ir também — disse Jez.

Concordei com a cabeça e voltamos para casa.

Observei-os subir ao céu. Jez acenava animadamente na garupa do Grã-xerife. Quando não havia nada além de pequenos pontos no céu e eu me virei para voltar ao rancho, quase dei de cara com Yenene.

Pela expressão dura em seu rosto, percebi que ela ainda estava muito zangada.

— Eles já foram — disse tolamente, pois ela devia tê-los visto partir. — Vou voltar às minhas tarefas.

Quando passei por ela, ela se lamentou:

— Onde foi que errei, Will?

Parei e franzi as sobrancelhas.

— Como assim?

— Eu o criei para ser um cowboy celeste e, na primeira chance que você tem, você pega um cartaz de *Procura-se* na delegacia e sai em busca de uma recompensa.

— Eu fiz isso por papai — declarei em tom solene. — Achei que você entenderia.

— Oh, mas eu entendo muito bem. Entendo que é o trabalho de um homem da lei pegar os foras da lei.

— Eu sei, mas e se o homem da lei for corrupto?

— Então, tem o prefeito, a cavalaria celeste, o Grã-xerife.

— Já havia se passado um ano inteiro e ninguém tinha feito nada para pegar o assassino do papai, eu...

— Foi apenas pelas graças do Grande Espírito que você não foi enterrado no Cemitério de Minerópolis, rapazinho.

— Sei que está zangada comigo, mas eu tinha de fazer isso.

— Droga, não foi apenas o que você fez, Will, foi o modo como fez. Enganando e mentindo.

— Sinto muito pelas mentiras, mas, se eu dissesse a verdade, você teria me deixado ir?

— Não.

— Viu?

Ela suspirou.

— Olha só, estou feliz por você estar em casa. Estou zangada? Sim. E vou ficar zangada por um bom tempo ainda, mas estou feliz por você estar de volta.

— E eu estou feliz por *estar* em casa — respondi. — E prometo que não chegarei nem perto do posto do xerife de novo e me dedicarei às minhas tarefas.

Ela concordou com a cabeça, enquanto um sorriso se espalhava pelo rosto enrugado.

— Não duvido disso, você é trabalhador como seu pai. O que me lembra daquela cerca que você consertou muito bem, só que as duas cercas ao lado dela estão quebradas agora.

— Levarei Luna até lá para darmos uma olhada depois que ela acordar.

— Tudo bem. Vejo você no jantar. — E ela voltou na direção da casa. — Ah, e fique atento aos lobos. Há uma alcateia rondando por aqui.

— Pode deixar.

Estava a caminho das construções externas no rancho para me encontrar com os outros trabalhadores, quando um apito soou a distância e eu me virei. Uma fumaça branca cortava o céu ao longe. Era o Expresso trovejando pelos trilhos em direção à beirada da rocha para começar sua decida para a Fenda Mortal. Observei por um momento, feliz por não ter de passar outra noite naquele submundo sombrio e frio, tateando o caminho sob a luz fraca da madeira fluorescente e respirando aquele ar bolorento. Também estava feliz por nunca mais ter de me enfiar em outro buraco na parede da caverna e engatinhar por túneis de ventilação compridos e infestados de ratos da terra.

Eu estava em casa e, naquela noite, eu me deitaria na minha cama confortável e quentinha.

FIM

Meus agradecimentos a:
Carolyn Whitaker da London Independent Books,
Charlie Sheppard e Eloise King da Andersen Press.

O AUTOR

Quando criança, **Derek Keilty** escrevia histórias sobre seu urso panda de pelúcia, transformando-as em livros, dobrando as páginas e fazendo uma capa desenhada. "Ainda escrevo histórias", diz Derek, "embora agora os grandes profissionais da Andersen Press as transformem em 'livros de verdade', e estou muito feliz com isso".

Provavelmente por ter sofrido a decepção de nenhum autor ter visitado sua escola (o que ele teria adorado), Derek faz questão de visitar regularmente escolas por toda a Irlanda, contando histórias e dando cursos de escrita criativa, e diz que essa é a melhor parte de ser um autor de livros infantis.

Derek mora em Belfast, na Irlanda, com a esposa, Elaine, que é canadense, e tem duas filhas gêmeas, Sarah-Jane e Rebekah — e não podemos esquecer do Golden Retriever que faz qualquer coisa por um biscoito. Além de escrever, Derek tem como hobby desenhar histórias em quadrinhos, ler e tentar aprimorar seu desempenho no violão.

O ILUSTRADOR

Jonny Duddle mora no norte de Gales, no Reino Unido, com a esposa e a família. Quando não está explorando florestas, pode ser encontrado deitado no chão do seu estúdio, desenhando e inventando mundos novos.

Tendo trabalhado na indústria de jogos de computador, Jonny tem muito talento para desenvolver personagens. Ele começa traçando os desenhos com lápis e depois os pinta diretamente no computador, usando um tablet Wacom.

Já trabalhou em um navio pirata (subindo e descendo por cordas) e como professor de artes no meio do deserto Kalahari, e não é de se estranhar que seus trabalhos reflitam suas aventuras, incluindo seu primeiro livro de ilustração *The Pirate Cruncher* e os livros infantojuvenis da série *Beastly Business*.

A capa e as ilustrações para o livro de Terry Pratchett, *Nation*, foram indicados para o prêmio Best Children's Illustrated Books e para o English Association Book Awards.

Impressão e Acabamento: Markgraph